COURS FAMILIER DE LITTÉRATURE (VOLUME 12)

ALPHONSE DE LAMARTINE

Edition : Culturea (culurea.fr), 34 Hérault
Contact : infos@culturea.fr
Impression : BOD, Norderstedt (Allemagne)
ISBN :9791041831043
Date de publication : juillet 2023
Mise en page et maquettage : https://reedsy.com/
Cet ouvrage a été composé avec la police Bauer Bodoni

COURS FAMILIER DE LITTÉRATURE (VOLUME 12)

I

Finissonsen avec les théories imaginaires de ces législateurs des rêves, qui, en plaçant le but hors de portée parce qu'il est hors de la vérité, consument le peuple en vains efforts pour l'atteindre, font perdre le temps à l'humanité, finissent par l'irriter de son impuissance et par la jeter dans des fureurs suicides, au lieu de la guider sous le doigt de Dieu vers des améliorations salutaires à l'avenir des sociétés.

Rousseau et ses disciples en politique n'ont pas jeté au peuple moins de fausses définitions de la liberté politique que de l'égalité sociale.

Qu'estce que la liberté, selon ces hommes qui ne définissent jamais, afin de pouvoir tromper toujours l'esprit des peuples?

La liberté de J.J. Rousseau, c'est le droit de se gouverner soimême, sans considération de la liberté d'autrui, dans une association dont on revendique pour soi tous les bénéfices sans en accepter les charges.

C'estàdire que cette liberté est la souveraine injustice; c'est la liberté abusive des quakers, qui veulent que la société armée les défende, mais qui refusent de s'armer euxmêmes pour défendre leur sol et leurs frères. En un mot, c'est l'anarchie dans l'individu réclamant l'ordre dans la nation. Voilà la liberté sans limites et sans réciprocité des sectaires de Rousseau.

Qu'estce au contraire que la liberté? Selon nous, métaphysiquement parlant, cette liberté bien définie, c'est la révolte naturelle de l'égoïsme individuel contre la volonté générale de la société ou de la nation. Or, si cette révolte de la nature irréfléchie, de l'égoïsme individuel dont ces philosophes font un prétendu droit dans ce qu'ils appellent les droits de l'homme, existait, la société cesserait à l'instant d'exister, car la société ne se maintient que par la toutepuissance et la toute légitimité de la volonté générale sur la volonté égoïste de l'individu. Cette révolte instinctive de l'égoïsme individuel qu'on appelle la liberté sans limites est donc un crime et une anarchie. Ce droit est le droit de périr soimême en faisant périr l'État.

Cette liberté au fond n'est donc qu'un vain mot; le sauvage seul peut dire: «Je suis libre,» mais à condition d'être sauvage et d'être seul, c'estàdire esclave de sa misère et des éléments.

Non, la liberté de J.J. Rousseau et de ses émules n'existe pas; c'est le nom d'une chose qui ne peut pas être, une fiction à l'aide de laquelle on trompe l'ignorance des peuples et on justifie la révolte de l'individu contre l'ensemble social.

Le vrai nom de la société, c'est commandement et obéissance.

Commandement dans l'État, qu'il soit monarchie ou république.

Obéissance dans l'individu, qu'il soit sujet ou citoyen.

Or, entre ces deux noms sacramentels de toute société politique, commandement et obéissance, trouvezmoi place pour le nom de liberté. Il n'y en a pas, ou bien il n'y en a pas d'autre que le mot par lequel je vous l'ai définie tout à l'heure: révolte de l'égoïsme individuel contre la volonté de l'ensemble.

Ne parlons donc plus de liberté dans le sens que Rousseau et sa secte de 1791, et même la secte de Lafayette en 1792, et la secte parlementaire de 1830, et la secte radicale des polémistes de 1848, l'ont entendue. Ce sens s'est évanoui dès qu'on a voulu le toucher du doigt.

II

La seule chose que l'on puisse appeler, encore improprement, de ce nom, par habitude plus que par logique, c'est la petite part d'égoïsme individuel que le commandement social de l'État (monarchie ou république) puisse négliger sans inconvénient dans l'obéissance obligatoire de chacun à la volonté de tous. Cette petite part n'est pas même un droit, selon l'expression de Lafayette, le philosophe de l'émeute: L'insurrection est le plus saint des devoirs.

Cette part de liberté n'est pas possédée, elle est concédée et révocable par la société, républicaine ou monarchique, qui la laisse à l'individu politique.

C'est une frontière indécise entre l'ordre social et l'anarchie individuelle que le commandement laisse à l'obéissance; terrain vague, où le commandement n'a pas besoin de s'exercer, et où l'obéissance peut désobéir sans porter atteinte à l'État, c'estàdire à l'intérêt de tous.

Mais encore ce qu'on appelle liberté n'est que tolérance de la société générale, et le commandement social peut l'enchaîner ou la restreindre selon les nécessités, les lieux, les temps, les circonstances, si les nécessités, les lieux, les temps, les circonstances exigent que tout soit commandement et obéissance, et obéissance partout et en tout dans la société absolue. Je vous défie de nier ces faits et ces principes, si vous réfléchissez à la nature de la société politique.

Où donc est ce qu'on appelle liberté? Et pourquoi tant parler d'une chose qui n'existe que dans les mots?

III

Mais comme il faut cependant se servir de la langue reçue, il y a une autre chose qu'on nomme trèsmal à propos liberté.

Cette chose, qui n'est nullement la liberté, mais qui est dignité morale dans le jeu du commandement et de l'obéissance dont se compose tout gouvernement, c'est la participation plus ou moins grande que chaque individu, esclave, sujet ou citoyen, apporte à la formation du gouvernement et des lois; c'est le concours plus ou moins complet, plus ou moins direct de beaucoup ou de toutes les volontés individuelles dans la volonté générale, à laquelle on donne le droit du commandement et le devoir d'obéissance.

Le plus ou le moins de cette participation formelle du peuple à son gouvernement est ce qu'on nomme trèsimproprement liberté. C'est bien plus que liberté, c'est commandement, commandement sur soimême et sur les autres.

Ce commandement, sous le despotisme, est attribué à un seul, sous les autocraties à une caste, sous les théocraties à un sacerdoce souverain, sous les républiques à une élite élective de citoyens et de magistrats, sous les démocraties absolues à la multitude, sous les démagogies, comme à Athènes, à des tribuns privilégiés, et renversés par les faveurs mobiles de la plèbe sur la place publique. Les plus populaires de ces gouvernements ne réalisent pas plus de liberté que les autres; ils commandent et ils obéissent à des titres différents, mais ils commandent l'obéissance avec la même obligation d'obéir; dans aucun il n'y a place pour ce qu'on appelle liberté dans la langue de J.J. Rousseau et des publicistes modernes, c'estàdire pour l'égoïsme individuel contre le dévouement et contre l'intérêt général. S'il y avait liberté dans cette acception du mot, il n'y aurait plus gouvernement ni société; il y aurait anarchie, révolte de chacun et de tous contre tous. Ce mot de liberté ainsi compris est donc un sophisme: la liberté de chacun serait l'esclavage de tous.

IV

Mais si on entend par ce mot de liberté la participation d'un plus grand nombre de sujets ou de citoyens au gouvernement, soit par la pensée exprimée au moyen de la presse ou dans les conseils, soit dans les élections, soit dans les délibérations, soit dans les magistrats, aucun doute alors que cet exercice du commandement social attribué par les constitutions au peuple, ne soit, quand le peuple en est capable par ses vertus et par ses lumières, une excellente condition de progrès moral, de dignité et de grandeur humaine.

Obéir à soimême, c'est la vertu; obéir aux autres, c'est la servitude. Qui peut douter que le commandement, quand il est moral, ne soit supérieur à l'obéissance, quand elle est servile? Et qui peut nier ainsi que, plus il y a de force raisonnée dans le commandement, et d'assentiment dévoué dans l'obéissance, plus il y a perfection dans le gouvernement? Faisons donc peu de cas de ce qu'on appelle liberté égoïste dans le sens que J.J. Rousseau attribue à ce mot, faisonsen beaucoup de ce qu'il y a de participation volontaire du peuple au commandement social; moins il y a de cette révolte individuelle dans l'individu soidisant libre, plus il est libre en effet, car il ne veut alors que ce qu'il doit vouloir, et il n'obéit qu'à ce qu'il veut dans l'intérêt de tous, qui est en réalité son premier intérêt.

V

Mais estce donc en vertu d'un misérable contrat impossible même à concevoir (car pour contracter il faut être, et avant d'être la prétendue association locale n'était pas, ou elle n'était qu'en penchant et en germe dans les instincts naturels de l'homme), estce donc en vertu d'une misérable convention que la société s'est constituée en gouvernement? Estce en vertu d'un vil intérêt purement matériel et dans le but seulement d'un plus grand bien physique, que ce contrat purement brutal a été rêvé, délibéré, signé, et qu'il a pu se maintenir en se perfectionnant d'âge en âge? Estce ainsi qu'il est devenu droit, qu'il est devenu devoir, et qu'il a pu appeler Dieu et les hommes à le protéger, à le défendre, à le venger contre les atteintes que l'égoïsme individuel, la révolte des intérêts particuliers, l'injustice personnelle, l'ambition, l'usurpation, la ruse, la violence, l'impiété des conquérants, la spoliation du plus fort, la tyrannie du plus scélérat peuvent lui porter tous les jours? Évidemment non.

La faim et la soif, la satisfaction charnelle des besoins physiques, la part plus ou moins grosse de grain ou de chair dans cette crèche humaine où ce bétail humain broute sa gerbe ou dévore sa ration de sang des animaux, la lutte incessante de force brutale contre force brutale, force mesurée, non à la justice divine, mais à l'équilibre arithmétique entre les convoitises et les résistances de l'individu à l'individu, de nation à nation, toutes ces clauses notariées par de prétendus législateurs constituants, toutes ces garanties nominales des hommes contractants contre des hommes sans cesse intéressés à violer ou à déchirer le contrat social, tout cela n'a ni sacrement, ni sanction, ni raison d'être, ni raison de durer, ni raison d'autorité, ni raison d'obéissance, ni raison de respect, ni raison de commandement; tout le monde peut dire tous les jours: Je n'accepte pas ce contrat chimérique imposé au faible par le fort, ou je ne l'accepte que de force, c'estàdire par la plus vile des sujétions. Dans ce système, la société n'est qu'un vice, le plus lâche des vices, la peur!

Mais où est le devoir? Mais où est la vertu? Mais où est la divinité de l'ordre social? Mais où est la dignité de l'espèce humaine dans ce troupeau d'esclaves involontaires qui n'obéissent que sous la verge de fer de la nécessité, ou ne se révoltent pas que parce qu'ils ont peur de se révolter?

C'est là cependant exactement la conclusion formelle de J.J. Rousseau que nous vous avons citée tout à l'heure: «Tout homme qui peut secouer le joug sans danger a le droit de le faire.» C'est aussi la conclusion de la Fayette copiée de Rousseau: «L'insurrection est le plus saint des devoirs.»

Estce une société qu'une réunion d'hommes fondée sur ces deux axiomes parfaitement logiques dans le système de ce contrat, axiomes dont le premier avilit toute nation qui ne secoue pas tous les jours le joug social, et dont le second ensanglante tous les jours la société? Société de boue ou société de sang, voilà le contrat de J.J. Rousseau; les théories matérialistes de la philosophie de l'intérêt ne peuvent aboutir qu'à la proclamation de droits aussi antisociaux, le droit de tuer ou le droit de mourir.

Les théories spiritualistes de la société, qui sont les nôtres, aboutissent au commandement et à l'obéissance, qui sont, dans ceux qui commandent comme dans ceux qui obéissent, des devoirs, c'estàdire des libertés individuelles volontairement sacrifiées à la souveraineté générale dans ceux qui obéissent, et des autorités morales légitimement exercées dans ceux qui commandent.

Vos théories de société répondent aux corps, les nôtres répondent à l'âme de la société. Vous supposez un contrat révocable à chaque respiration de l'individu; nous voyons, nous, dans la société, une religion politique qui ennoblit à la fois le commandement et l'obéissance. Cette religion politique sanctifie la société politique en lui donnant pour autorité suprême la souveraineté de la nature, c'estàdire la souveraineté de Dieu, auteur et législateur des instincts qui forcent l'homme à être sociable.

Cette souveraineté de Dieu ou de la nature a promulgué ses lois sociales par les instincts de tout homme venant à la vie.

Le premier de ces instincts, d'abord physique, lui commande de se rapprocher de sa mère sous peine de mort; il crée la famille, cette sainte unité de l'ordre social.

L'instinct de la mère et du père, celuilà tout moral, l'instinct de la compassion et de la bonté, leur commande de soigner, d'allaiter, d'élever l'enfant; il crée la continuité de l'espèce, il dépasse déjà la loi d'égoïsme de l'individu, il devient sans le savoir dévouement spiritualiste.

L'instinct de la justice apprend à l'enfant à chérir sa mère et son père, il devient devoir; c'est déjà l'âme qui se révèle, ce n'est plus de l'instinct seulement.

L'instinct de l'amour créateur emporte l'homme et la femme l'un vers l'autre; mais, une fois l'enfant conçu, ce même instinct, devenu paternité, porte les deux êtres générateurs à perpétuer leur union dans l'intérêt de l'enfant, ce troisième être qui les confond et les réunit par une union permanente et sainte, sanctionnée par les autres hommes et par Dieu. Le mariage, sous une forme ou sous une autre, selon les lieux ou les temps, ce n'est plus l'instinct de l'amour seulement, c'est le devoir réciproque, spiritualisme qui d'un attrait fait un lien. De là les lois sur la génération pure de l'espèce, sur l'autorité paternelle, sur la piété filiale; instincts changés en devoirs de tous les côtés; spiritualisme de cette trinité plus morale que charnelle; sollicitude pour l'enfant, assistance dans l'âge mûr, tendresse et culte pour la vieillesse, le plus doux des devoirs, la justice en action, la reconnaissance, mille vertus en un seul devoir!

L'instinct dit à ce groupe humain à peine formé: «Réunistoi à d'autres groupes pareils pour te protéger contre les éléments comme corps, contre les agressions et les injustices des hommes iniques et forts, comme être moral et libre.» De là l'association fondée alors sur la réciprocité des services: tu me sers, je te sers; tu me défends, je te défends; tes ennemis sont mes ennemis; tes amis sont mes amis. Voilà la société élémentaire, elle n'est plus vil intérêt seulement, elle est déjà réciprocité, c'estàdire mutualité, réciprocité qui n'est que la justice des actes, moralité, devoir, vertu.

Un autre instinct porte d'autres groupes à s'unir, pour être plus solides, aux premiers groupes.

La nation se fonde; elle féconde une terre, elle sème, elle moissonne, elle bâtit, elle multiplie; elle se choisit une place permanente au soleil, elle se dit: «Il fait bon là, nous avons besoin que cette place féconde et fécondée soit à nous, et non à d'autres, pour y nourrir ceux qui descendront de nous; nos sueurs ont animalisé de nous cette terre, il y a parenté désormais entre elle et nous; marquonsla de notre nom, de notre droit de priorité.»

À l'instant voilà la possession accidentelle et passagère qui se transforme en fait, en droit, en permanence, en patriotisme moral enfin.

Spiritualisme, moralité, vertu. Le devoir de défendre la patrie, de vivre et de mourir au besoin pour elle, pour ceux même qui ne sont pas encore nés, dignifie, sanctifie en passion désintéressée, en dévouement sublime, en sacrifice méritoire, en vertu glorieuse sur la terre, en mérite immortel dans la patrie future, ce devoir patriotique.

VI

La nation fondée et défendue, un instinct qui s'élargit la pousse à se civiliser chaque jour davantage. Elle sent la nécessité de l'autorité politique qui donne à tous ces instincts épars l'unité de volonté par laquelle chacun a la force de tous, et tous ont le droit de chacun. C'est ce qu'on appelle gouvernement. Les formes de ce gouvernement sont aussi diverses que les âges des peuples, les lieux, les temps, les caractères de ces groupes humains formés en nations.

L'autorité dérivée de la nature y repose d'abord dans le père, ou patriarche, par droit d'antiquité; l'hérédité la consacre dans le fils après le père.

Elle s'étend de là aux vieillards de la tribu, supposés les plus sages par droit d'expérience: c'est l'origine des sénats, seniores, qui assistent, éclairent, limitent le pouvoir patriarcal et souverain.

Le pouvoir aristocratique s'y constitue: gouvernement de castes.

L'autorité concentrée y devient facilement injuste et oppressive; le peuple y demande sa place et l'obtient: gouvernement pondéré, monarchie, aristocratie, démocratie, trinité d'Aristote, gouvernements modernes des trois pouvoirs diversement représentés.

L'autorité conquise sur la monarchie et sur l'aristocratie par le nombre seul, par la démocratie absolue, c'est la souveraineté de la multitude, sans pondération, sans fixité, sans corps modérateur; elle dégénère bientôt en oppression mutuelle et en anarchie: gouvernement condamné par l'instinct de la hiérarchie légale, qui est la loi de tout ce qui dure, la loi de tout ce qui commande et de tout ce qui obéit sur la terre.

VII

L'instinct de justice absolue et celui de hiérarchie nécessaire, combinés légalement ensemble, fondent et maintiennent les républiques à plusieurs pouvoirs; elles sont agitées, mais le mouvement même y prévient longtemps la corruption, la tyrannie, la décadence.

Elles supposent plus de spiritualisme, plus de devoir, plus de vertu dans le peuple que les autres gouvernements; c'est ce qui fait qu'elles sont l'idéal des peuples et des sages.

Elles ont l'unique et immense mérite d'élever l'âme, les lumières, et le sentiment de justice du peuple, à la hauteur de sa souveraineté.

Mais si le peuple ne possède ni assez de lumières ni assez de vertus, il n'y faut pas penser encore, ou bien il n'y faut plus penser du tout: un brillant esclavage militaire, de la gloire, et point de liberté, suffit à ce peuple; on peut l'éblouir, on ne peut l'éclairer. Ses vertus sont toutes soldatesques: des dictatures et des victoires, voilà tout ce qu'il lui faut. Le spiritualisme, c'estàdire le sentiment moral de ce qu'il doit à Dieu, aux autres peuples et à luimême, y baisse à mesure que la fausse gloire y resplendit davantage. Il marche à la tyrannie chez luimême en allant porter sa propre tyrannie dans le monde; bientôt il ne saura plus où retrouver le principe de l'autorité des gouvernements légitimes, c'estàdire naturels, de la société politique, trop vieux et trop irrespectueux pour le gouvernement patriarcal, trop égalitaire pour le gouvernement des castes, trop sceptique pour le gouvernement théocratique, trop ardent en nouveautés pour le gouvernement des coutumes et des dynasties, trop agité pour le gouvernement constitutionnel et l'équilibre des pouvoirs, trop turbulent pour le gouvernement des républiques, et trop impie envers ses propres droits pour les défendre soit contre l'oppression d'en haut, soit contre l'oppression d'en bas. Peuple du vent et du mouvement perpétuel, emporté à tous les abîmes par le tourbillon même qu'il crée et accélère sans cesse en lui et autour de lui!

Peuple de beaux instincts, mais de peu de moralité politique, toujours ivre de luimême, enivrant les autres peuples de son génie et de son exemple; mais ne tenant pas plus à ses vérités qu'à ses rêves, et créé pour lancer le monde, plutôt que pour le diriger vers le bien.

À de tels peuples le gouvernement du hasard! Ils ne savent ni fonder ni conserver, ils ne savent que détruire et changer sur la terre; ils sont le vent qui balaye le passé. Qu'ils balayent donc le monde politique: ils sont le balai de la Providence, comme Attila fut le fléau de Dieu.

VIII

De toutes ces natures de gouvernement inspirées à l'humanité par cette souveraineté de la nature qui parle dans nos instincts, aucun ne nous semble plus voisin de la perfection que le gouvernement créé ou réformé par le législateur rationnel de l'extrême Orient, le divin philosophe politique Confutzée, dans cet empire de la Chine, plus vaste que l'Europe, plus antique que notre antiquité, plus peuplé que deux de nos continents, plus sage que nos jeunes sagesses.

Confucius résume en lui toutes les lumières, toutes les vertus et toutes les expériences du vieux monde indien; il résume, de plus, selon toute apparence, le vieux univers antédiluvien, si les révélations, les monuments et les traditions antédiluviennes vivent encore dans la mémoire des hommes. Confucius semble avoir été illuminé divinement par un reflet, par un crépuscule de cette divine révélation sociale qui précéda le siècle des grandes eaux. Ministre de cette souveraineté de la nature dont on retrouve le texte syllabe par syllabe dans nos instincts natifs, Confucius institue dans sa législation, et ensuite dans le gouvernement, toutes les lois et toutes les formes politiques qui dérivent de notre nature physique et de notre nature morale; spiritualisme et loi civile, politique et vertu, temps et éternité, religion et civisme, ne sont pour lui qu'un même mot. Aussi voyez comme cela civilise, comme cela dure, comme cela multiplie la vie et l'ordre dans l'espèce humaine! À l'exception des arts barbares de la guerre qu'un excès de philosophie fait tomber en mépris et en désuétude chez ses disciples, voyez la population: cette contreépreuve de la bonne administration: quatre cents millions d'hommes traversant en ordre et en unité vingtcinq siècles; jamais l'esprit législatif atil créé et régi une telle masse humaine en une seule nation? C'est une impiété à l'Europe d'aller briser à coups de canon anglais cette merveilleuse Babel d'une seule langue en Orient. Étudiez ce gouvernement et rougissez de ces assauts que vous donnez à ces palais et à ces temples de la civilisation primitive, toute spiritualiste, au nom d'une civilisation de trafic, d'or et de plomb. Analysez le gouvernement de Confucius: vous y retrouvez tout l'homme moral et toute la politique de la nature dans le mécanisme accompli du gouvernement.

IX

Le gouvernement paternel demeure dans le monarque une hérédité inviolable, personnifiant l'autorité divine, invisible dans l'abstraction visible de la nation souveraine et immortelle, spiritualisme monarchique qui consacre le commandement et qui moralise l'obéissance. Point de force sans droit, voilà la monarchie de Confucius.

L'aristocratie intellectuelle et morale dans le conseil de l'empire, spiritualisme raisonné qui signifie: point de souveraineté sans lumière.

La démocratie complète dans les mandarins de tout ordre choisis dans toutes les classes par l'élection dans les examens publics, ce qui veut dire égalité de tous, mais à condition de capacité constatée par tous, et de vertu reconnue par tous.

Gradation ascendante et descendante dans les rangs et les fonctions des magistrats chargés de l'administration de la justice ou de l'administration des intérêts populaires de l'empire; spiritualisme qui personnifie la conscience et la providence dans une hiérarchie sans laquelle il n'y a ni autorité distributive, ni ordre, ni stabilité dans les institutions.

L'ubiquité de l'autorité monarchique, partout présente et partout active, dans le dernier hameau comme dans la première capitale de province: spiritualisme de la présence et de l'intervention souveraine dans tous les rapports de l'homme avec l'homme pour légitimer tous les actes de la vie civile.

Autorité paternelle absolue, mais surveillée dans la famille pour que le commandement y soit respecté, et que l'obéissance y soit religieuse: spiritualisme légal qui fait du père un magistrat de la nature, et qui fait du fils un sujet du sentiment!

Culte des ancêtres perpétuant la mémoire et sanctifiant la filiation humaine en reportant sans cesse l'humanité à sa source par la reconnaissance: spiritualisme filial, qui va rechercher la vie pour la bénir et la tradition pour la vénérer.

Anoblissement des pères par les actes héroïques ou vertueux des enfants, dans les générations les plus reculées: spiritualisme profond dans ce législateur qui personnifie la solidarité de race, la responsabilité paternelle, le rémunérateur filial dans l'unité morale de la famille, continuité de l'être moral descendant et remontant du père à Dieu, du père aux fils, des fils aux pères, et qui rend la vertu aussi héréditaire de bas en haut que de haut en bas! Quel plus beau dogme! Quel plus fort lien entre les générations, mortelles par les années, immortelles par leurs vertus!

Et ainsi de suite. Pas un dogme législatif qui ne soit un dogme spiritualiste; pas une prescription sociale qui n'ait Dieu à sa base et Dieu à son sommet; pas une institution civile qui ne soit calquée sur un devoir moral; la chaîne des devoirs moraux relie partout l'individu à la société et la société à l'individu; la loi n'est qu'un commentaire de la nature.

Concluons: je suis contre J.J. Rousseau pour Confucius, malgré la prétendue loi du progrès indéfini, progrès dérisoire qui descend souvent, au lieu de monter, du spiritualisme social de Confucius au matérialisme égoïste du Contrat social.

X

Le vrai contrat social n'a pas été délibéré entre des hordes humaines faisant la métaphysique des prétendus droits de l'homme, et la théorie des sociétés avant l'existence de la société.

La société n'est pas d'invention humaine, mais d'inspiration divine.

Dieu l'a déposée dans les instincts des premiersnés de la terre appelés hommes, et même dans les instincts organiques des animaux. Elle est née toute faite, et chacun de nos instincts contenait en germe une loi; une loi, non pas seulement physique, donnant pour but à la société politique la satisfaction brutale des besoins du corps, mais une loi morale et religieuse, donnant à la société civile un but intellectuel, moral et divin de civilisation des âmes, c'estàdire de vertu et de divinisation de notre être par des devoirs réciproques découverts et accomplis.

Voilà la fin de la société politique, voilà le plan de Dieu, voilà l'œuvre de la législation, voilà la dignité de l'homme; voilà le spectacle que la Divinité créatrice se donne à ellemême, depuis qu'elle a daigné créer l'homme jusqu'à la consommation des temps.

Ce serait un pauvre spectacle, aux yeux de cette adorable Divinité, de qui tout émane et à qui tout aboutit, de cette âme universelle qui n'est qu'âme, c'estàdire intelligence, volonté, force et perfection, que le spectacle de populations plus ou moins nombreuses broutant la terre dans un ordre plus ou moins régulier, comme celui du troupeau devant le chien, sans autre fin que de se partager plus ou moins équitablement l'herbe qui nourrit leur race, jusqu'au jour où leurs cadavres iront engraisser à leur tour le fumier vivant tiré du fumier mort, et destiné à devenir à son tour un autre fumier!

Voilà cependant le Contrat social de J.J. Rousseau; voilà les droits de l'homme! Ce sont aussi les droits du pourceau d'Épicure. Si l'égalité alimentaire de Platon, de J.J. Rousseau, des économistes, des tribuns du peuple, des démagogues de 1793, des saintsimoniens de 1820, des fouriéristes de 1830, des socialistes de 1840, des communistes de 1848, n'a pas d'autres utopies à présenter aux sociétés modernes, en vérité, de si vils et de si grossiers intérêts valentils la stérile agitation des utopistes qui les inventent, des populations prolétaires qui les rêvent, des législateurs qui les pulvérisent? Des râteliers toujours pleins, dans cette vaste étable de l'humanité, changentils la nature de cette bête de somme plus ou moins repue qu'ils appellent la société humaine? Leurs droits de l'homme se pèsentils donc à la livre, ou se mesurentils à la ration? Grasse ou maigre, une telle société en seraitelle moins une société de brutes? On a pitié de telles utopies, pitié de tels contrats sociaux, pitié de telles dégradations de notre nature!

Le vrai contrat social ne s'appelle pas droit, il s'appelle devoir; il n'a pas été scellé entre l'homme et l'homme, il a été scellé entre l'homme et Dieu.

Le véritable contrat social n'a pas pour but seulement le corps de l'homme, il a pour but aussi et surtout l'âme humaine, il est spiritualiste plus que matériel; car le corps ne vit qu'un jour de pain, et l'esprit vit éternellement de vérité, de devoir et de vertu. Voilà pourquoi la doctrine qui ne fait que proclamer les droits de l'homme est courte et fausse, et ne peut aboutir qu'à la révolte perpétuelle, doctrine insensée, Contrat social; voilà pourquoi toute société qui se fonde sur le devoir est vraie, durable, toujours perfectible, et aboutit directement à Dieu, c'estàdire à la perfection et à l'éternité.

XI

Devoir d'adoration envers le Créateur, qui a daigné tirer l'être du néant pour sa gloire; devoir qui oblige l'homme à se conformer en tout aux volontés du souverain législateur, volontés manifestées à l'homme par ses instincts; organe de la véritable souveraineté de la nature; devoir facile, satisfait par son accomplissement, même quand il est douloureux aux sens; devoir qui donne à l'homme obéissant à son souverain Maître cette joie lyrique de la vie et de la conscience, joie de la vie et de la conscience qui éclate dans tout être vivant comme un cantique de la terre, et que tous les êtres vivants, depuis l'insecte, l'oiseau, jusqu'à l'homme, entonnent en chœur au soleil levant comme une respiration en Dieu!

Devoir de l'époux et de l'épouse, qui, au lieu de s'accoupler comme des brutes, se lient par un lien moral ensemble pour spiritualiser leur union, souvent pénible, au bénéfice de l'enfant, né d'un instinct, mais vivant d'un devoir.

Devoir du père et de la mère de protéger, d'élever, de moraliser l'enfant par un dévouement qui s'immole à sa postérité.

Devoir du fils, qui, au lieu de se séparer selon J.J. Rousseau, dès qu'il n'a plus besoin de tutelle physique, adhère par justice et reconnaissance au sein qui l'a nourri, à la main qui le protége dans sa faiblesse, et leur rend ce culte filial, image du culte que tout être émané doit à tout être dont il émane.

Devoir de cette trinité humaine: le père, la mère, les enfants, de se grouper dans une unité défensive de tendresse et de mutualité sainte qu'on appelle famille, première patrie des cœurs qui impose le premier patriotisme du sang, et qui sanctifie la source de l'âme comme la source de la population.

Devoir du commandement adouci par l'amour dans le père, pour que l'ordre, qui ne peut se fonder sans hiérarchie, du moment que les volontés peuvent se heurter entre des êtres nécessairement inégaux, pour que cet ordre, disonsnous, se fonde sur une autorité et sur une subordination incontestées; autorité et subordination qui sont un phénomène social, nullement physique, mais tout moral.

Devoir de l'obéissance dans les enfants, même quand ils sont devenus, par le nombre et par la force, plus forts que le père et la mère; devoir d'autant plus moral, d'autant plus spiritualiste, d'autant plus vertueux, qu'il est volontaire, et que la force matérielle dans les enfants se soumet plus saintement à la force spiritualiste dans le père.

Devoir de ce premier groupe de la famille de reconnaître et de respecter, dans les autres groupes semblables à elle, le même droit divin de vivre et de multiplier sur la terre, domaine commun de la race humaine; de ne point la tuer, de ne point lui dérober sa place au soleil et au festin nourricier du sillon; mais de reconnaître, d'assister, d'aimer les autres hommes ses semblables, et de leur appliquer cet instinct tout spiritualiste et tout moral de la justice législative incréée, qui invente et qui sanctionne toute société par une force morale mille fois plus forte que la force législative, la conscience, et dont toute violation est crime, dont toute observation est vertu!

Devoir de donner la vie de chacun pour la défense et le salut de tous dans cette société de familles associées devenues patries par cette loi spiritualiste du dévouement si contraire à la loi de l'égoïsme des législateurs athées; devoir du sacrifice de la vie même à ceux de ses semblables qui ne sont pas encore nés; devoir surnaturel que les hommes appellent héroïsme, et que Dieu appelle sainteté!

Voyez comme vous êtes déjà loin de la société utilitaire et du contrat social de la chair avec la chair de J.J. Rousseau, et des droits de l'homme! Voyez comme le spiritualisme social se dégage déjà de la matière, et comme le véritable contrat social de la nature se spiritualise et se divinise en découvrant, non pas dans le corps humain, mais dans l'âme humaine, l'origine, le titre, l'objet, et la fin de la société politique!

Un devoir social, au lieu d'un droit brutal, sort de chacun des instincts primitifs de l'homme social, à mesure qu'il a besoin de lois plus nombreuses et plus morales pour ses rapports plus multipliés avec les autres hommes; au lieu d'être un droit, chacune de ces lois s'appelle un devoir.

Devoir de l'ordre qui lui fait personnifier l'autorité divine de la nature, ici dans une monarchie, ici dans une république, ici dans une magistrature élective, ici dans des pouvoirs héréditaires, ici dans ces différentes forces combinées, mais toutes imposant un même devoir de commander et d'obéir pour le bien de tous, sauf la tyrannie et l'usurpation de l'ambition et du crime dans un seul ou dans le nombre, qui sont la violation de la loi spiritualiste et du devoir, punie par l'anarchie et la servitude.

Devoir d'obéir aux lois promulguées par l'autorité législative même quand ces lois nous commandent de mourir pour la société civile ou politique!

Devoir d'accomplir en conscience toutes les prescriptions du gouvernement de la nation à mesure que le gouvernement chargé du droit de commander par tous et pour tous, a besoin de promulguer des lois nouvelles pour des besoins nouveaux de la société personnifiée en lui.

XII

Quel que soit le rang que l'on occupe dans la hiérarchie sociale, devoir de respecter dans tous ses semblables en haut l'autorité, inégalité légale, en bas la dignité de l'âme de tous, égalité divine.

Partout la fraternité en action imposant aux forts la tutelle des faibles, aux riches la responsabilité des pauvres par l'assistance, obligatoire quoique volontaire, du travail et de la charité.

L'énumération de tous ces devoirs sociaux dont le Contrat social selon l'esprit a fait des devoirs ne finirait pas; je m'arrête.

Je m'engagerais à parcourir ainsi avec vous, un à un, tous les instincts en apparence les plus physiques de l'homme venant en ce monde, et de vous amener à découvrir avec une évidence solaire, dans chacun de ces instincts élémentaires, la source, le titre divin, la révélation irréfutable du vrai contrat social: souveraineté divine manifestée par la souveraineté de la nature, et imposant aux hommes de tous les âges et de tous les pays le contrat social de la moralité et de la vertu, la politique du devoir au lieu de la politique du droit, le gouvernement pour l'âme au lieu du gouvernement pour les besoins, le progrès aboutissant à l'immortalité et à Dieu par la vertu au lieu du progrès partant de la chair et aboutissant à la chair.

Le droit de l'homme est bien plus haut placé; ce n'est pas seulement le droit à l'égalité et à sa part de vie icibas, c'est le droit à la vertu et à sa part d'immortalité dans l'immortalité de la race, qui n'est mortelle qu'icibas.

Voilà le contrat social du spiritualisme. Les publicistes qui donnent des définitions orgueilleuses et abjectes du droit de l'homme, n'ont oublié que ceuxlà: le droit d'accomplir des devoirs, le droit d'être vertueux, le droit d'être immortel.

Relevons nos fronts trop humiliés: nous valons mieux que cela.

XIII

Cessons de rechercher le faux principe de la société politique dans la souveraineté des trônes, despotisme; dans la souveraineté des castes, aristocratie; dans la souveraineté du peuple, anarchie et tyrannie à la fois. Ce ne sont ni les despotes, ni les aristocrates, ni les démocrates, qui ont créé le divin phénomène de la société politique; ce ne sont ni les dynasties, ni les théocraties, ni les autocraties, ni les démocraties, qui peuvent sanctifier en elles le titre au commandement humain, divin, aristocratique ou populaire, à la souveraineté, à l'organisation, à la conservation, au perfectionnement de la société politique. La société politique est organique, elle naît avec l'homme, elle a sa révélation dans nos instincts, elle procède d'une seule souveraineté, la souveraineté de notre nature. Elle n'a pas pour objet seulement la perpétuation de l'espèce humaine par la vile satisfaction des besoins du corps humain sur cette terre; mais elle a pour but surhumain la grandeur et la glorification de l'âme humaine par la vertu.

Le travail de l'homme terrestre pour le pain du jour, c'est la vertu du corps humain; le travail de la société politique en vue de Dieu et de l'immortalité, c'est la vertu de l'âme humaine.

Ce double travail, également nécessaire, quoique inégalement rétribué, Dieu l'exige de l'homme comme être corporel, et de la société politique comme être moral.

Et pourquoi l'exigetil?

Parce que la société politique ne se compose pas seulement de corps qui produisent, qui consomment, qui vivent et qui meurent ensevelis dans le sillon qui les a nourris; mais parce que la société morale se compose avant tout d'une âme immortelle dont la destinée immortelle est de rendre gloire à son Créateur en se perfectionnant et en se sanctifiant éternellement devant lui.

Les sens corporels révèlent forcément à l'homme les besoins corporels que la société civile l'aide à satisfaire icibas.

La conscience, ce sens invisible, mais absolu, de la vertu et de la moralité, révèle aussi forcément à l'homme intellectuel les besoins de son âme pour satisfaire à ses aspirations divines de perfectionnement moral et d'immortalité. La société politique ne peut pas, sans s'avilir, se borner à aider l'homme à vivre dans son corps: elle doit l'aider surtout à perfectionner son âme, à renaître plus parfait par une vie plus sainte, à vivre de devoirs et à revivre éternellement de félicité.

Voilà pourquoi toute loi qui n'est pas vertu n'est pas loi. Dieu ne sanctionne que ce qui est divin. Il n'y a point de souveraineté dans la force, le commandement est tyrannique et l'obéissance est lâcheté; ce contrat social entre l'iniquité et la servitude, même quand il produit l'ordre apparent, n'est que le désordre suprême. Dieu ne peut être appelé en témoignage pour le ratifier; la moitié meilleure de ce qui fait l'homme y manque: son âme n'y est pas! c'est la société politique de la hache et du billot. Le Contrat social de J.J. Rousseau mène directement à ces emblèmes; le commandement est le crime, et l'obéissance est la mort.

Honte et exécration sur un tel contrat social! honte parce qu'il est servile, exécration parce qu'il est odieux.

XIV

Et pitié aussi, parce qu'il est sophisme et qu'il borne la société politique à une sorte d'association commerciale pour cette courte vie, où le gouvernement, purement mécanique et industriel, n'a qu'à surveiller les parts de subsistances et de bienêtre entre des hommes qui ne vivent qu'à demi et qui meurent tout entiers. De ces deux moitiés de l'homme, ils ont, dans leur acte de société, oublié la principale: l'ÂME, et sa destinée immortelle et infinie.

Combien le véritable contrat social est supérieur, en vérités et en dignité morale, à ce pacte de la chair avec les sens!

XV

Ce pacte de la société vraie, le voici: Dieu a créé l'homme corps et âme, à la fois; Corps, pour s'exercer icibas comme un apprenti de la vie terrestre à la vie céleste, qui sera dégagée des sens et des temps.

Il a donné à l'homme, en le créant, les instincts innés qui le forcent à vivre en société politique, parce que la société politique est le moyen de perfectionner l'individu en élargissant sa sphère par la famille, l'État, l'humanité, cette trinité de devoirs.

Ce perfectionnement de l'homme par la société civile et politique s'accomplit, pour le corps, par le développement des industries matérielles, des moyens, des forces, des découvertes qui ont la vie terrestre pour fin. C'est la civilisation des sens, beau phénomène, mais phénomène court comme le temps, borné comme l'espace, fini comme la poussière organisée, périssable comme la mort.

Il a donné à l'homme une âme pour communiquer par la pensée avec Dieu, son créateur, et pour perfectionner cette âme par la vertu, travail surhumain de l'humanité mortelle dont la vie immortelle est le salaire dans un temps qui ne finit pas, c'estàdire dans l'éternité rémunératrice.

La société politique et civile est le milieu composé de devoirs mutuels dans lequel l'homme trouve à exercer son âme militante et perfectible à cette vertu dont la société vit, mais dont le mérite ne finit pas icibas; c'est la civilisation spiritualiste de l'âme humaine.

Le contrat social matérialiste de J.J. Rousseau et de ses disciples ne promet à l'humanité que des biens matériels et quelques souffrances égales pour tous, des luttes pour ou contre une souveraineté sans cesse imposée par les tyrans, sans cesse reconquise par les peuples; des droits qui ne reposent que sur des révoltes de tous contre tous, et qui ne sont contresignées qu'avec du sang, des métiers ou des arts tout manuels; des lois toutes égalitaires pour consoler au moins le malheur de chacun par le niveau du malheur commun, puis la mort ensevelissant une société de poussière vivante dans une poussière morte. Voilà tout: estce là beaucoup plus que le néant? Le bonheur de vivre vautil, pour une pareille société, la peine de mourir?

XVI

Notre contrat social, à nous, le contrat social spiritualiste, au contraire, celui qui cherche son titre en Dieu, qui s'incline devant la souveraineté de la nature, celui qui ne se reconnaît d'autre droit que dans ce titre magnifique, et plus noble que toutes les noblesses, de fils de Dieu, égal par sa filiation et par son héritage à tous ses frères de la création, celui qui ne croit pas que tout son héritage soit sur ce petit globe de boue, celui qui ne pense pas que l'empire de quelques millions d'insectes sur leur fourmilière, renversant ou bâtissant d'autres fourmilières, soit le but d'une âme plus vaste que l'espace, et que Dieu seul peut contenir ou rassasier; celui qui croit, au contraire, à l'efficacité de la moindre vertu exercée envers la moindre des créatures en vue de plaire à son Créateur, celui qui place tous les droits de l'homme en société dans ses devoirs accomplis envers ses frères; celui qui sait que la société humaine, civile et politique, ne peut vivre, durer, se perfectionner en justice, en égalité, en durée, que par le dévouement volontaire de chacun à tous, dévouement du père au fils, de la femme à l'époux, du fils au père, des enfants à la famille, de la famille à l'État, du sujet au prince, du citoyen à la république, du magistrat à la patrie, du riche au pauvre, du pauvre au riche, du soldat au pays, de tout ce qui obéit à tout ce qui commande, de tout ce qui commande à tout ce qui obéit, et, plus haut encore que cet ordre visible, celui qui conforme, autant qu'il le doit et qu'il le peut, sa volonté religieuse à cet ordre invisible, à ce principe surhumain que la Divinité (quel que soit son nom dans la langue humaine) a gravé dans le code, dans la conscience, table de la loi suprême; celui qui sait que, sous cette législation des devoirs volontaires qu'on nomme avec raison force ou vertu, il n'y a ni Platon, ni J.J. Rousseau, ni chimères, ni violences, ni tyrannies, ni multitudes, ni satellites, ni armées, ni bourreaux qui puissent faire prévaloir la société purement matérialiste sur la société spiritualiste, où le commandement est divin, où l'abstention est vertu; ce contrat social est, disonsnous, indépendamment de ce qu'il est plus vrai, mille fois plus digne du légitime orgueil, du saint orgueil de la race humaine: car il croit fermement (et il a raison de croire) que le contrat social qui commence sur la terre par des individus isolés, sans défense contre les éléments, par des hordes, par des tribus, par des républiques, par des empires, par des révolutions qui brisent ou qui restaurent des nations, n'est ni toute la fin, ni toute la destinée probable de la civilisation divine, ni toute la pensée du Créateur, ni tout le plan infini de Dieu dans sa création de l'homme en société.

Car il croit que Dieu n'a pas borné à ces phénomènes d'agglomération, de révolution, de progrès matériel, de décadence, de dissolution et de disparition, les destinées de cette noble catégorie d'êtres appelés hommes; que ces êtres ne sont pas bornés dans tous leurs développements par la tombe; mais que le vrai contrat social, celui dont l'âme de l'humanité est l'élément, celui dont la vertu est le mobile, celui dont le devoir est la législation, celui dont Dieu luimême est le souverain, le spectateur et la récompense, que ce contrat social, interrompu ici à chaque génération par la mort, ne se résilie pas dans la poussière de ce globe.

Au contraire, il se renoue, se recompose et se développe indéfiniment plus haut de vertu en vertu, de sainteté en sainteté, de grandeur en grandeur, dans une société toujours croissante et toujours multipliante, pour multiplier les adorations par les adorateurs, les forces par les facultés, les vertus par les œuvres, dans cette échelle ascendante par laquelle monta le Jacob symbolique, et qui rapproche du Dieu de vie ses hiérarchiques créations!

En un mot, le vrai contrat social, au lieu de donner pour fin à la société mortelle la mort, donne pour fin à la société spiritualiste sur la terre le sacrifice, et pour fin à la société divinisée après la vie l'immortalité!

Voilà ma foi politique.

Lamartine.

P. S. La trop grande étendue que j'ai été obligé de donner à l'Entretien précédent me force à restreindre celuici et à m'arrêter là de peur de fatiguer le lecteur de métaphysique sociale. Je reviendrai dans un an sur ces aberrations de J.J. Rousseau, philosophe social. Quant à sa philosophie religieuse, dont la profession de foi du Vicaire savoyard est le sublime portique, c'est une des plus éloquentes protestations contre l'athéisme ou l'irréligion qui ait jamais été écrite par une main d'homme. Quand nous traiterons de la philosophie (ce que nous ferons l'année prochaine), nous reviendrons sur ce bel exorde de religion dite naturelle. J.J. Rousseau s'élève, dans cette contemplation lyrique de la Divinité et de la morale, mille fois audessus des philosophes impies ou matérialistes du dixhuitième siècle. Le christianisme même lui doit ici de la reconnaissance, car, s'il est dans quelques parties incrédule sur la lettre de ses dogmes, il est croyant à sa sainteté. C'est une aurore boréale de l'Évangile: il ne le voit pas, mais il le répercute. C'est la raison évangélisée.

XVII

Par une circonstance bien étrange, pendant que je m'entretenais avec vous des erreurs politiques et des essais théologiques de J.J. Rousseau dans l'Émile, un livre paraissait, un des livres que les curieux de littérature et de philosophie accueillent comme une bonne fortune de bibliothèque, parce qu'il leur révèle comme en confidence les secrets du métier de la littérature.

Ce livre, par un homme de pensée libre, d'instruction variée, de goût sûr, de recherches patientes, M. Sayous, est intitulé: le Dixhuitième Siècle à l'étranger.

C'est une histoire coloniale de l'esprit français dans toute l'Europe, pendant que l'esprit français rayonnait de Paris sur le monde quelques années avant qu'il fît explosion par la révolution française. M. Sayous est là, pour le dire sans l'offenser, un statisticien moral, un fureteur de génie épiant et découvrant le beau et le bon dans tous ces recoins de l'Europe où de petits cénacles littéraires, français de langue et d'esprit, depuis Copenhague, Pétersbourg, Berlin, Dresde, jusqu'à Lausanne, Coppet, Ferney, Genève (il aurait pu y ajouter Turin et Chambéry, colonie des deux frères de Maistre, l'un naturel et arcadien, l'autre emphatique et olympien), devaient bientôt appeler l'attention sur leur nom et sur leurs œuvres.

M. Sayous donc furète avec beaucoup de loyauté et beaucoup de bonheur ces découvertes dans tous ces recoins du monde français, et nous fait des portraits fins, vrais, originaux, critiques de toutes ces figures d'hommes et de femmes qui gravitaient en ce tempslà dans la sphère de l'esprit français, de la langue française et de la philosophie française.

Or savezvous ce qu'il découvre trèsinopinément pour nous, à Genève, en recherchant les sources de J.J. Rousseau, car toute grande individualité a ses sources? Il découvre une femme, une jeune fille, une belle sibylle des Alpes, une théologienne de vingt ans, une prophétesse de raison et d'instruction qui prophétise à demivoix et qui prophétise quoi? La profession de foi du Vicaire savoyard. C'était dans l'air. Rousseau l'écoute, il retient; il s'inspire, et il écrit. Qui se serait douté de cette Égérie cachée dans les grottes du lac Léman, derrière ce philosophe misanthrope de la rue Plâtrière, à Paris?

Or voici tout le mystère:

Il y avait à Genève une de ces familles cosmopolites qui apportent, partout où elles vivent, un caractère et une physionomie multiples, saillants, originaux comme l'empreinte des différentes contrées où ces familles ont eu leurs haltes et leur origine. C'était la famille si connue des Huber. Sortis de la noblesse féodale du Tyrol, illustres dans la chevalerie tudesque de la Souabe, ils étaient devenus patriciens de Berne, et s'étaient alliés à Rome avec la maison princière des Ludovisi, démembrée en branches éparses entre Schaffouse, Lyon, Genève.

Cette famille, de génies divers, avait acquis aussi divers genres de célébrités. La littérature légère, la philosophie éclectique, les sciences naturelles, les arts, la société intime avec Voltaire, Rousseau, plus tard avec les de Maistre de Savoie, avec madame de Staël, avaient encore illustré les Huber. Les mémoires du temps rappellent à toutes les pages leur nom à propos de leur familiarité avec les grandes figures de Genève, de Paris, de Berlin, de Londres, de Coppet; ils étaient chez eux partout par droit de bienvenue, de bon goût, d'intimité avec les célébrités européennes. Un de leurs descendants, héritier de leur naturalisation universelle, le colonel Huber, à la fois homme de guerre, homme de lettres volontaire, diplomate dans l'occasion, poëte quand il se souvient de ses Alpes, romancier quand il se rappelle madame de Montolieu ou madame de Staël, habite encore aujourd'hui tantôt Paris, tantôt une délicieuse retraite philosophique au bord de ce lac Léman, site préféré de cette famille.

XVIII

Or, de cette famille nomade et féconde en toutes espèces d'originalités inattendues, était née à Lyon, en 1695, Marie Huber. À l'âge de dixhuit ans elle avait à Lyon la célébrité des yeux, la beauté. Tout lui souriait du côté du monde: elle détourna son âme et ne voulut regarder que du côté du ciel. Elle renonça au mariage pour garder toutes ses pensées à Dieu. L'abbé Pernetti, l'historien des célébrités de Lyon, raconte que le peuple de cette ville l'appelait la Sainte.

La solitude rendit son esprit indépendant, effet ordinaire et naturel d'une méditation solitaire. À trentesix ans elle prit la plume et elle écrivit ses pensées sur le sujet qui occupait le plus sa vie, la religion. Elle crut reconnaître que ce qui écartait le plus d'âmes religieuses de la pratique de tel ou tel culte, c'étaient le nombre et la littéralité des dogmes. Elle résolut, non de les nier, mais de les tourner, et de montrer une voie générale de salut, qui fît marcher au ciel par toutes les voies; elle n'écartait pas le christianisme, elle l'ouvrait plus large à plus de fidèles; elle considérait le Christ comme l'HommeDieu qui, participant à toute la nature humaine pour la réhabiliter en lui, fut affranchi de tout ce que l'humanité a de vicieux, rédempteur dont l'humanité aurait pu se passer si elle avait conservé sa pureté originelle et la religion naturelle bien gravée dans sa conscience. Elle entreprenait donc, conformément à cette idée, de faire luire de nouveau cette sainteté primitive et naturelle dans les cœurs de tous les hommes.

Ce fut là, dit M. Sayous son biographe, l'objet de son livre intitulé la Religion essentielle à tous les hommes, livre dont Voltaire eut connaissance et dont il parle avec estime, livre qui fut communiqué à J.J. Rousseau, et dont, selon M. Sayous, il tira la doctrine supérieure et conciliatrice de sa profession de foi du Vicaire savoyard.

Ce serait ainsi qu'une femme inspirée, une sainte Thérèse d'une religion pacifique et unanime, aurait à son insu laissé dans l'âme du philosophe sceptique et mobile de Genève la pensée de ce christianisme primitivement révélé par la conscience, encore sans ombre, à l'humanité, et destiné à réconcilier toutes les morales, tous les schismes et tous les cultes de l'esprit dans une lumière, dans une adoration et dans une charité communes.

Nous n'affirmons pas cette filiation de la profession de foi de J.J. Rousseau; nous la donnons comme une de ces curiosités littéraires qui ont de la vraisemblance plus qu'elles n'ont de certitude. Mais le génie à tâtons de J.J. Rousseau, flottant à cette époque entre le christianisme réformé, le catholicisme adopté, puis répudié, le calvinisme de son enfance professé de nouveau, l'illuminisme germanique effleuré, et le scepticisme philosophique si voisin de l'athéisme, longtemps fréquenté à Paris dans l'intimité de Diderot, de d'Holbach, de Grimm, pouvait fort bien se réfugier, pour son repos, dans cet éclectisme chrétien de mademoiselle Huber qui donnait satisfaction aux diverses aspirations de sa nature, et qui lui servait de thème pour cet hymne magnifique de Platon des Alpes connu sous le nom de profession de foi du Vicaire savoyard. Les calvinistes de Genève ne s'élevèrent pas avec moins de fureur contre le traité de paix que leur offrait mademoiselle Huber, que contre le symbole pacificateur que leur proposait J.J. Rousseau. Les deux livres eurent les mêmes ennemis; car les schismes en religion n'ont pas seulement besoin de croire, ils ont besoin de combattre; les pacificateurs sont les premiers persécutés en religion comme en politique. L'Évangile dit: «Heureux les pacifiques!» le monde dit: «Malheur aux modérés!»

J.J. Rousseau, dans ce livre, fut un Girondin de la philosophie.

Lamartine.

LXVIIIe ENTRETIEN.

TACITE.

PREMIÈRE PARTIE.

I

L'histoire est de tous les genres de littérature celui qui supporte le plus la médiocrité de l'écrivain, d'abord parce que l'intérêt y est dans le fait plus encore que dans le style: le fait ou le récit se suffit, pour ainsi dire, à luimême.

Ensuite, parce que les événements que l'histoire raconte ont par euxmêmes un attrait de curiosité, un intérêt, pour nous exprimer autrement, qui empêche le lecteur de faire attention à l'insuffisance ou à la médiocrité du style. La curiosité est trèsindulgente, pourvu que l'histoire soit racontée.

Aussi les bibliothèques sontelles pleines d'histoires médiocres, triviales, sans génie, sans philosophie, sans politique, sans couleur, sans pathétique, sans moralité, écrites par des annalistes de tous les pays; enregistreurs de dates, de nomenclatures, de faits, ils tiennent la chronologie du monde, l'état civil des nations.

On les lit cependant: car, bien qu'ils ne fassent rien sentir et rien juger, incapables qu'ils sont euxmêmes de sentir et de juger, ils font connaître. Ce sont les vieillards loquaces de la famille humaine dont parle Homère; on s'attroupe autour d'eux pour les entendre conter: mais pour eux, comme pour leurs lecteurs, l'histoire n'est que de la chronique.

II

Les véritables historiens sont trèsrares au contraire, et, pour tout dire, plus rares peutêtre que les grands poëtes; plus rares certainement que les grands hommes d'action.

Cette parcimonie de la nature à créer les grands historiens s'explique d'ellemême, quand on y réfléchit, par le nombre, la diversité et la supériorité des dons naturels et des dons acquis nécessaires pour écrire une histoire digne de ce nom.

Ces dons, ou ces conditions nécessaires pour former un historien immortel, sont presque impossibles à réunir dans un même homme.

III

D'abord, il faut qu'il soit né poëte, c'estàdire sensible, coloriste, éloquent de nature; car comment feraitil sentir dans son style ce qu'il n'aura pas senti luimême?

Comment coloreraitil de nuances convenables ses portraits et ses tableaux, si, au lieu de palette dans l'imagination, il n'a qu'un peu d'encre au bout de sa plume?

Comment feraitil parler ses acteurs, s'il ne sait pas luimême parler?

Dire, c'est créer. Que créeratil, s'il ne sait dire?

Il faut ensuite qu'il soit philosophe, c'estàdire qu'il ne se borne pas à la surface des faits, mais qu'il les creuse et qu'il les interroge pour leur faire rendre le sens caché qui est en eux, ou la sagesse des choses humaines; car les événements ne sont pas une vaine accumulation de faits et de personnages, passant devant les yeux de Dieu et devant les yeux des hommes, sans autre langage que ce fracas du temps, qui roule tumultueusement dans son cours les religions, les institutions et les empires.

Ces événements, bien vus, bien écoutés, bien compris, ont un langage parfaitement intelligible qui s'appelle l'expérience, la leçon, la moralité, la sagesse, la philosophie des choses. Il faut que l'historien, profondément sage, comprenne ce langage des événements pour l'interpréter aux autres hommes.

Un véritable historien n'est qu'un traducteur, mais c'est le traducteur des desseins de Dieu. Il déchiffre les hiéroglyphes de la Providence.

IV

Il faut qu'il soit honnête homme, c'estàdire probe d'esprit, sincère, véridique: car, s'il trompe, ou s'il dissimule, ou s'il invente, ou s'il ment, plus d'histoire; il n'est plus que le faussaire des actes de Dieu.

Il faut qu'il soit moraliste, sinon de cœur, au moins d'esprit: car, s'il caresse les perversités dont l'histoire est pleine, s'il donne toujours raison à la fortune, s'il exalte le vainqueur coupable et qu'il écrase le vaincu innocent, s'il foule aux pieds les victimes, s'il ajoute la sanction de sa propre immoralité et l'autorité de son amnistie à tous les scandales d'iniquité qui attristent les annales des peuples, l'historien n'est plus un juge; c'est un complice abject ou intéressé de la fortune, qui montre sans cesse le droit violé par la force, et la vertu déjouée par le succès.

Un tel historien corrompt plus la moralité de son siècle que tous les crimes heureux ne la corrompent: car on se défie des criminels, on ne se défie pas de l'historien. Son absolution est pire que le forfait luimême: c'est le forfait rétrospectif, le forfait de sangfroid, le meurtre de la conscience publique, seul refuge que la fortune triomphante laisse icibas à la justice et à la vertu! Le criminel ne viole la justice que pendant un temps: l'historien du succès la viole, autant qu'il est en lui, pendant toute la postérité.

On a dressé des peines contre ceux qui commettent les crimes, on devrait en formuler de pires contre ceux qui les excusent et qui les glorifient. Ils sont les scélérats du lendemain, plus coupables que les scélérats de la veille. Ils justifient l'iniquité: c'est plus atroce que de la commettre.

V

Il faut que l'historien soit homme d'État: car l'histoire est pleine de politique, et s'il n'a pas l'intelligence de la politique, cette bonne conduite de la vie appliquée en grand aux nations, aux sociétés, aux empires, il écrira au hasard des récits pleins d'ignorance, de contresens et de nonsens.

Il faut qu'il ait pratiqué luimême les conseils, les assemblées, les négociations, les délibérations, les affaires publiques, afin d'avoir observé de ses propres yeux le jeu des passions, des intérêts, des ambitions, des intrigues, des caractères, des vertus ou des perversités qui s'agitent dans les cours, dans les camps, dans les comices, dans la place publique.

Nul ne connaît les hommes par théorie: pour les connaître, il faut les toucher; on ne les touche que dans la mêlée.

Un historien qui n'aura vécu que dans les bibliothèques fera des livres, mais jamais une histoire; ses personnages seront des rôles, jamais des hommes.

VI

Enfin, il faut que l'historien soit arrivé à la vieillesse, ou du moins à cette maturité des années qui donne, avec le sangfroid de la pensée, le désintéressement de l'ambition, ce loisir studieux où l'écrivain se renferme dans la solitude de son âme pour recueillir, avant sa mort, les événements de son temps, les expériences, les jugements qu'il veut léguer à la postérité.

On voit, à ces principales conditions d'un historien parfait, combien il est rare que toutes ces conditions se trouvent réunies dans un même homme, et combien peu de chefsd'œuvre historiques doivent exister et surnager sur cet océan d'annales ou de chroniques qui encombrent les archives des nations.

Ajoutons que ces chefsd'œuvre mêmes ne sont pas absolus, mais relatifs à l'état social et à l'âge plus ou moins avancé des peuples pour lesquels l'historien a écrit son histoire.

VII

Les peuples enfants veulent des récits merveilleux, mais sans critique, comme ceux d'Hérodote.

Les peuples superstitieux veulent des fables, comme celles des livres théogoniques de l'Orient.

Les peuples barbares veulent des martyrologes, comme ceux des Scandinaves.

Les peuples chevaleresques veulent des aventures, comme celles du Cid ou de Roland.

Les peuples corrompus veulent des crimes politiques admirés et justifiés, comme ils le sont dans l'histoire de Machiavel.

Les peuples artistes veulent des harangues et des réflexions, comme celles de Thucydide.

Les peuples avilis veulent des obscénités, comme celles de Suétone.

Les peuples mûrs et touchant à la décadence veulent des portraits peints en traits de sang, des retours vers la vertu antique, des larmes amères sur la corruption présente, des sentences brèves, mais succulentes, jaillissant de l'événement comme le cri des choses, enfin une philosophie à la fois plaintive et amère, qui consterne et qui relève l'âme par l'honnête et douloureux contraste entre l'image de la vertu antique et le désespoir de la liberté perdue!

Dans ce genre d'histoire parfait, l'historien n'est plus seulement un annaliste: il est citoyen, il est moraliste, il est politique, il est poëte, il est peintre, il est législateur, il est apologiste, il est satiriste, il est homme d'État, il est juge, il est instituteur des nations, il est Tacite. L'histoire ne monte pas plus haut: elle est alors le grand poëme épique de la vérité.

VIII

Pour l'époque du monde où nous vivons, Tacite est évidemment l'Homère, le Platon et le Cicéron de l'histoire. Une de ses pages retrace toute une période d'années; une de ses peintures ressuscite toute une vie; une de ses maximes fait réfléchir tout un jour.

Rome entière, avec ses grandeurs et ses bassesses, avec sa liberté et sa servitude, avec ses noblesses et ses abjections, avec ses vertus et ses forfaits, s'est résumée dans ce seul homme.

Il a tout vu, tout senti, tout sondé, tout pesé, tout aimé, tout haï, tout peint, tout conclu. C'est le monde romain, ou plutôt c'est le monde humain de son temps, hélas! et de tous les temps, contracté dans la main puissante d'un homme, et rendant, sous la pression de cette main, son suc, son sens, sa gloire, ses vices, sa honte, ses larmes, son sang, par tous les pores.

IX

Aussi celui qui a lu Tacite a compris le monde: Tacite est le Newton de l'histoire. Il a dévoilé la machine humaine depuis le premier rouage jusqu'au dernier; il a monté et démonté le mécanisme des empires, et mis à nu tous les ressorts qui font mouvoir la sublime ou déplorable humanité.

On ne peut lui reprocher qu'une chose: un excès de brièveté dans le récit. Mais cette brièveté aussi est une force: celui qui comprend d'un coup d'œil explique d'un mot. La brièveté est une vertu de la langue, car la langue n'est qu'un signe. La plus parfaite des langues serait celle qui contiendrait le monde dans un mot.

Tacite est l'abréviateur de l'œuvre de Dieu; il n'écrit pas, il note: mais chaque note ouvre un horizon sans borne à la pensée. Les intelligences lentes ou faibles doivent renoncer à le lire: il n'écrit que pour ses pairs. C'est le pain des forts, c'est l'historien des hommes d'État, des philosophes, des sages, des poëtes; il lui faut, comme à Bossuet, un auditoire de rois de l'intelligence: c'est sa gloire.

J'ai essayé souvent, dans mes notes de jeunesse, de me rendre compte à moimême des impressions que je recevais de cet historien selon mon cœur. J'en extrais ici quelques fragments et j'en ai refait un tout, en jalonnant ma route de ses plus beaux tronçons de style, comme on reconstruit une ville détruite dans le désert, en marchant d'un débris à un débris et d'un monument à l'autre, à travers la poussière des grandes choses qu'on foule aux pieds.

X

Huit cent vingt années d'existence ont épuisé la vitalité de Rome. Rome vieillit; car, malgré les illusions toujours déçues et toujours renaissantes des utopistes, les nations vieillissent comme l'homme, unité mortelle dont elles parcourent toutes les phases avec plus de lenteur, mais avec la même vicissitude de naissance, de jeunesse, de maturité, de caducité et de mort.

L'empire a dévoré la république; l'armée a subjugué les lois; la corruption, à son tour, a avili l'armée; la sédition donne et retire le trône et la vie à des favoris prétoriens d'un camp et d'un jour. Néron, le dernier des empereurs du sang de César, a péri, exécré des uns, regretté par les autres; car les vices et les crimes euxmêmes ont leur parti dans les populaces et dans les casernes. On pleure, à Rome et à Lyon, ce bon Néron qui incendiait la capitale pour la rebâtir, qui égorgeait sa mère, mais qui amusait la plèbe. Le vieux Galba, proclamé empereur par les légions, s'avance et tend la main vers le sceptre.

Écoutons Tacite, c'est ainsi qu'il commence son premier livre:

XI

«J'entreprends une œuvre riche en vicissitudes, atroce en batailles, déchirée en séditions, sinistre même dans la paix:

«Quatre empereurs tranchés successivement par le glaive, trois guerres civiles, plusieurs guerres extérieures, quelques autres tout à la fois civiles et étrangères;

«Nos armes, prospères en Orient, malheureuses en Occident; l'Illyrie troublée, les Gaules mobiles, la GrandeBretagne conquise et perdue presque au même moment; les races suèves et sarmates se ruant contre nous; les Daces illustrés par des défaites et par des victoires alternatives; l'Italie ellemême affligée de calamités nouvelles ou renouvelées des calamités déjà éprouvées par elle dans la série des siècles précédents; des villes englouties ou secouées par les tremblements de terre sur les confins de la fertile Campanie; Rome dévastée par les flammes; nos plus anciens temples consumés; le Capitole luimême incendié par la main de ses concitoyens; nos saintes cérémonies profanées; des adultères souillant nos plus grandes familles; les îles de la mer pleines d'exilés; ses écueils ensanglantés de meurtres; des atrocités plus sanguinaires encore dans le sein de nos villes; noblesse, dignités, acceptées ou refusées, imputées à crime; le supplice devenu le prix inévitable de toute vertu; l'émulation entre les délateurs, nonseulement pour le prix, mais pour l'horreur de leurs forfaits; ceuxci revêtus comme dépouilles des consulats et des sacerdoces, ceuxlà de l'administration et de la puissance de l'État dans les provinces, afin qu'elles supportassent tout de leur violence et de leur rapacité; les esclaves corrompus contre leurs maîtres, les affranchis contre leurs patrons, et ceux à qui il manquait des ennemis pour les perdre, perdus par la trahison de leurs amis.»

XII

«Toutefois le siècle n'est pas assez tari de toute vertu pour ne pas fournir encore de grands exemples:

«Des mères accompagnant leurs fils poursuivis, dans leur fuite; des femmes s'exilant volontairement avec leurs maris; des proches courageux; des gendres dévoués; la fidélité des serviteurs résistant même aux tortures; des hommes illustres bravant les dernières extrémités de l'infortune; l'indigence ellemême héroïquement supportée; des sorties volontaires de la vie comparables aux morts les plus louées de nos ancêtres.

«Outre ces nombreuses vicissitudes des choses humaines, des prodiges effrayants dans le ciel et sur la terre, les avertissements de la foudre, les présages des événements futurs, présages heureux, sinistres, ambigus, évidents tour à tour.

«Jamais, en effet, calamités plus terribles et augures plus menaçants ne témoignèrent au peuple romain que les Dieux ne veillaient plus à sa sécurité, mais à leur vengeance.»

XIII

Après avoir frappé ainsi l'esprit de ses lecteurs de l'impression dont il est frappé luimême, Tacite entre d'un pas rapide, mais sûr, dans son récit par le tableau du lendemain de la mort de Néron. Il laisse transpirer, plutôt qu'il ne le témoigne, son mépris intérieur contre un peuple assez vil pour regretter son tyran:

«La vile multitude, ditil, celle qui assiége le cirque et les théâtres gratuits, et la lie des esclaves, et tous ceux qui, ayant dévoré leur patrimoine, vivaient des honteuses munificences de Néron, se montraient tristes et avides de nouvelles.

«Les soldats, voyant qu'ils ne recevaient pas de gratifications de Galba pour récompenser leur défection involontaire et forcée à Néron, et prévoyant que la paix ne leur fournirait pas autant que la guerre d'occasions d'avancements et de récompenses, penchaient vers la sédition. Ils accusaient déjà la vieillesse et la parcimonie de Galba.

«On rappelait un mot de lui, honnête pour la république, dangereux pour luimême: Je choisis mes soldats, je ne les achète pas.

«L'âge même de Galba était un texte de dérision et d'impopularité pour ceux qui étaient accoutumés à la jeunesse de Néron, et qui, suivant le préjugé du vulgaire, ne jugeaient de leur maître qu'à la beauté et à la grâce du corps. Telles étaient à Rome, ajoutetil, les dispositions d'esprit de cette immense multitude.»

Il fait ensuite le tableau des provinces, des légions, le portrait des principaux généraux qui les commandent.

En Espagne, Cluvius Rufus; dans les Gaules, un successeur peu populaire de Vindex; en Allemagne, Verginius, encore indécis entre les regrets de Néron et l'adhésion à Galba; sur le Rhin, un vieillard goutteux, impotent, sans ascendant sur ses troupes; dans l'Orient encore immobile, Mucien, commandant de la Syrie et de quatre légions.

XIV

Le portrait de Mucien, tracé en quelques lignes, présage du premier coup d'œil à l'empire des agitations, à Galba des compétiteurs:

«Homme, dit Tacite en parlant de Mucien, déjà aussi célèbre par ses succès que par ses disgrâces; jeune, il avait ambitieusement caressé des amitiés illustres; bientôt, ayant dissipé ses richesses, il glissa dans le besoin.

«Suspectant l'inimitié de Claude contre lui, il se confina dans le fond de l'Asie, aussi près de l'exil qu'il le fut plus tard de l'empire; mélange de luxure, d'intrigue, de popularité, d'insolence, de bonnes et de mauvaises habiletés; excessif de plaisirs dans le loisir, d'activité dans l'action, sa vie publique méritait des éloges, sa vie privée de la honte. Puissant en influence et en séduction sur ses subordonnés, sur ses proches, sur ses collègues; homme à qui il était plus facile de décerner l'empire par son crédit que de l'obtenir pour luimême.»

En Judée, Vespasien et son fils Titus commandaient trois légions; ils étaient pleins de déférence pour Mucien, leur collègue le plus rapproché, et se concertaient entièrement avec lui.

XV

Tout à coup un bruit se répand dans Rome. On murmure à demivoix que les légions de Germanie se sont soulevées et ont proclamé empereur leur commandant Vitellius.

Galba, pour prévenir le seul reproche qu'on fait à son règne, celui de manquer d'un successeur, se hâte d'adopter un jeune Romain de haute noblesse et de grande espérance, Pison. Pison rappelait par ses vertus l'antique république. Son adoption était un retour à la liberté et aux mœurs. Galba le prend par la main en présence du sénat et du peuple:

«Auguste chercha un successeur dans sa famille, lui ditil; moi, je le prends dans la république, non que je manque de parents ou de compagnons d'armes, mais pour prouver que je n'ai point brigué l'empire par ambition. Cet acte démontrera à tous que je n'ai consulté, en te choisissant, ni mes propres convenances, ni même les tiennes.

«Tu as un frère, ton égal en noblesse, ton supérieur par l'âge, digne en tout de la haute fortune où je t'appelle, si tu n'en étais plus digne encore toimême.

«Tu es parvenu à cet âge où l'on a déjà échappé aux passions de la jeunesse; ta vie est telle que tu n'as aucune indulgence à demander pour ton passé. Tu n'as encore supporté que des fortunes adverses: les prospérités sont des tentations trop stimulantes pour notre âme, parce que les adversités nous apprennent à fléchir et que le bonheur nous corrompt.

«La fidélité, la sincérité, l'attachement, ces premiers biens de l'honnête homme, conserveles avec une égale constance. On essayera de les altérer en toi par l'obséquiosité. L'adulation, les caresses, l'intérêt personnel, le poison le plus corrupteur de la véritable affection, vont bientôt t'entourer.

«Aujourd'hui, toi et moi, nous nous parlons avec la plus entière franchise; mais les autres s'adressent plus à notre puissance qu'à nousmêmes, car persuader à un prince ce qu'il doit faire est une grande tâche: une approbation servile ne prouve aucune affection.

«Si l'immense corps de l'État pouvait subsister et se pondérer seul et sans modérateur, j'étais digne peutêtre de recommencer les temps et les institutions de la république; mais nous en sommes à cette nécessité, que déjà mon âge avancé ne peut plus rien promettre au peuple romain qu'un bon successeur, et ta jeunesse rien autre qu'un bon maître à l'empire.

«Sous Tibère, sous Caïus, sous Claude, nous fûmes comme le patrimoine d'une seule famille; aujourd'hui, à la place de la liberté, nous aurons du moins l'élection de nos maîtres.

«La maison des Jules César et des Claude étant éteinte, l'adoption découvrira avec intelligence le meilleur des Romains pour succéder à l'empire. Descendre ou naître des princes est un hasard qui ne nous rend digne d'aucune estime; dans l'adoption, le choix est entier et le jugement libre, et, si l'on veut bien choisir, l'opinion publique vous éclaire.

«Que Néron soit toujours devant tes yeux, lui qui, superbe de sa longue série d'aïeux dans les Césars, ne fut pas renversé par Vindex avec une seule province sans armes, ni par moi avec une seule légion, mais par sa férocité et par sa luxure, qui le précipitèrent du faîte des grandeurs publiques.

«Il n'y avait point cependant jusquelà d'exemple d'un empereur déposé.

«Nous, au contraire, que l'estime publique et les armes ont portés à l'empire, quels que soient nos services, nous y serons poursuivis par la jalousie.

«Toutefois ne t'étonne pas si, dans cette commotion soudaine de tout l'univers, deux légions ne sont pas encore rentrées dans l'obéissance. Moimême, qui te parle, je ne suis pas parvenu encore à la sécurité; mais, une fois que je t'aurai adopté, je cesserai de paraître trop vieux, seul reproche qu'on objecte à ma puissance.

«Néron ne cessera pas d'être regretté par les pervers; c'est à toi, c'est à moi de gouverner avec tant d'intégrité qu'il ne soit pas du moins regretté des gens de bien.

«Ce n'est pas l'heure de te fatiguer de plus longs avis; tout est dit, tout est fait, si j'ai bien choisi!

«Souvienstoi que tu vas commander ici à des hommes aussi incapables de supporter une entière liberté qu'une entière servitude.»

L'invention d'une telle éloquence dans l'historien ne supposetelle pas dans Tacite toutes les qualités d'homme d'État, de philosophe, de politique consommé, de vieillard expérimenté des choses et des caractères, et enfin d'orateur d'État, qualités que l'historien prête au vieux Galba?

XVI

On se perd quand on analyse ce sublime discours d'empire dans les profondeurs de raison, de pénétration, de prévoyance, de connaissance du cœur humain et de l'opinion des différentes classes du peuple qu'il révèle chez le vieux Galba.

Quel autre homme qu'un homme rompu aux affaires publiques, un témoin des écroulements de Rome, un publiciste, un moraliste, un orateur, un vieillard, pouvait le penser et pouvait l'écrire?

Ôtez une seule de ces conditions d'âge, d'expérience, de pratique des comices et des cours, d'étude des lettres antiques, d'élévation audessus des partialités des temps, de puissance de tout comprendre, même la vertu, et ce discours n'existerait pas.

C'est le résumé d'une longue vie publique dans une haute intelligence touchant aux limites de la vie, et jugeant le passé, le présent, l'avenir, avec le calme du soir et le sublime désintéressement du lendemain.

Mais poursuivons l'étude, et, après avoir vu le sage et le politique, voyons le peintre.

XVII

Pison accepte sans joie, mais sans faiblesse, non comme on accepte une ambition, mais comme on accepte un devoir.

Il se rend au camp avec Galba, puis au sénat, pour se faire reconnaître héritier de l'empire.

Les soldats, refroidis par la parcimonie de Galba, qui les traite en citoyens, non en mercenaires, murmurent sourdement; le sénat éprouve ou feint d'éprouver de l'enthousiasme: mais les rumeurs de la rébellion des légions de Germanie et de la marche de Vitellius sur l'Italie s'accroissent dans Rome. La restitution au trésor public des sommes perçues par les favoris de Néron aigrit les esprits dans le camp et dans la plèbe.

Un homme populaire par ses intrigues, candidat du vice, comme Pison était candidat de l'honnêteté, Othon, sent chanceler le pouvoir entre les légions qui s'avancent d'Allemagne, et Galba, qui dédaigne de saisir Rome par ses corruptions. Il se fait faire une feinte violence par une émeute de populace et de soldats qui le portent au camp, hors des murs, en apparence malgré lui. Là, vingttrois soldats le saluent empereur, et vont tenter avec Othon la fidélité des légions indécises.

XVIII

Le bruit de cette émeute se répand dans le palais de Galba. Pison, son fils adoptif, veut opposer sa popularité d'estime à la popularité démagogique d'Othon; il rassemble les troupes de garde au palais et les harangue:

«Camarades, leur dit Pison, il n'y a pas encore six jours qu'ignorant ce que nous dérobe l'avenir, et ne sachant s'il fallait désirer ou redouter davantage ce nom d'héritier de Galba, j'ai été adjoint par lui à l'empire.

«Par cet acte, les destinées de la patrie et celles de notre maison ont été placées dans vos mains. Ne croyez pas, je vous le jure par le nom que je porte, ne croyez pas que je tremble ici pour moimême (pour moi, qui, éprouvé déjà par la mauvaise fortune, sais qu'il y a autant à craindre de la prospérité); non! je vous parle en ce moment au nom de Galba, devenu mon père, du sénat et de l'empire, que je représente devant vous.

«Nous sommes placés dans cette alternative, ou de périr aujourd'hui, si cela est nécessaire à la patrie, ou, ce qui ne serait pas moins funeste, de vaincre en faisant périr des concitoyens.

«Nous avions pour consolation, dans ces derniers événements de Rome, que la capitale n'avait pas été ensanglantée et que le pouvoir avait passé sans choc d'une main dans une autre.

«Par mon adoption, il semblait aussi avoir été pourvu à ce que, même après Galba, il ne pût y avoir de guerre civile à Rome pour l'empire.

«Je ne me vanterai pas ici de la noblesse de mon origine ni de l'irréprochabilité de ma vie. Qu'estil besoin de parler de vertu quand il s'agit de se comparer à un Othon? Ses vices, qui sont à ses yeux le seul titre de gloire, ont renversé l'empire, même quand il était la créature et l'ami de l'empereur.

«Seraitce par son maintien, sa démarche, sa parure efféminée, qu'il briguerait et mériterait l'empire? Ils se trompent, ceux qui croient que son luxe sera de la libéralité: il saura dissiper, jamais donner. Il ne rêve que prostitution, débauches et orgies de femmes; il pense que ce sont là les priviléges de la souveraineté, priviléges qui lui assurent pour lui seul la satisfaction de ses caprices et de ses excès, et qui ne laisseront aux autres que la rougeur et l'infamie. Jamais pouvoir acquis par le crime ne fut exercé honnêtement.

«Galba a été promu à l'empire par le consentement de l'univers, et moi par votre consentement.

«Si la république, le sénat, le peuple, ne sont plus aujourd'hui que de vains noms, votre honneur, à vous, camarades, est intéressé du moins à ce que les plus vils des hommes ne vous donnent pas des empereurs!

«On a vu des exemples de légions révoltées contre leurs généraux; mais votre fidélité et votre renommée, à vous, sont restées jusqu'à ce jour sans souillure. C'est Néron qui vous a manqué, ce n'est pas vous qui avez manqué à Néron!

«Eh quoi! vingttrois transfuges et déserteurs, à qui l'on ne permettrait pas de nommer un centurion ou un tribun des soldats, nommeraient impunément un empereur! Vous admettriez cet exemple, et vous vous approprieriez leur crime en le tolérant par votre inaction! Cette licence passera bientôt de Rome dans les provinces, et, si nous sommes, Galba et moi, les victimes de ce forfait, vous le serez, vous, des conséquences de ces guerres civiles. L'assassinat de vos empereurs ne vous sera pas plus payé que nous ne payerons, nous, votre innocence, et nous vous donnons, en récompense de votre fidélité, autant que les autres vous promettent pour prix du crime.»

XIX

Ce discours d'honnête homme émeut les cohortes de garde au palais. Les officiers partent pour aller retenir dans leur devoir les différents corps casernés dans la ville; mais les partisans d'Othon les ont prévenus. La défection est générale; quelques chefs sont tués par leurs soldats, d'autres repoussés, le plus grand nombre entraînés. La licence de Néron plaide dans leur âme contre la sévérité de Galba. Les troupes corrompues aiment leurs corrupteurs. Othon ravive la popularité de Néron, dont il fut le complice.

XX

Galba, presque abandonné dans le palais avec une poignée de gardes et de serviteurs, hésite un moment s'il y défiera l'assaut des prétoriens ou s'il ira au camp disputer l'empire à Othon. Danger pour danger, il préfère le plus honorable; il se prépare à marcher au camp: Pison l'y devance.

XXI

Pendant cette hésitation, un bruit se répand dans la ville qu'Othon a été massacré par les prétoriens dans le camp. À ce bruit, le peuple, les sénateurs, les courtisans, la plèbe, qui avaient déjà fui le palais, refluent avec la fortune autour de Galba.

XXII

Tacite peint en satiriste consommé les jactances et le faux enthousiasme des hommes intéressés que la peur avait dissipés, que la peur ramène. Chacun veut avoir sa part de fidélité et d'héroïsme: il y en a qui vont jusqu'à affirmer qu'Othon a été percé par leur main. L'impassible Galba sourit de pitié et demande à un de ces prétendus meurtriers qui lui a donné ordre de tuer Othon.

XXIII

Ce bruit était faux. Tacite raconte la sédition des prétoriens à la vue d'Othon, en homme qui a vu les émotions populaires et les défections soldatesques.

On croit relire, à l'homme près, l'entrée de Napoléon à Grenoble au retour de l'île d'Elbe. Citons cette page, que nous avons lue tant de fois nousmême vivante sur les pavés de nos places publiques:

«Les dispositions dans le camp n'étaient déjà plus douteuses, et la passion en faveur d'Othon était déjà si furieuse que les soldats, non contents de le couvrir de leurs corps et de leurs armes, le portent, au milieu des aigles des légions, sur un tertre où s'élevait, quelques moments avant, la statue d'or de Galba, et l'entourent de leurs étendards. Il n'était possible ni aux tribuns ni aux centurions d'en approcher; le simple soldat recommandait à ses camarades de se défier de ses officiers; tout retentissait de clameurs, de tumulte, de vociférations échangées entre les groupes, non pas seulement, comme dans une multitude, de vociférations inactives, mais, à chaque nouveau groupe de soldats qui se présentaient, on leur prenait les mains, on les enlaçait d'un cercle d'épées nues, on les poussait vers Othon, on les provoquait à lui prêter le serment, on les préconisait l'un à l'autre, tantôt l'empereur aux soldats, tantôt les soldats à l'empereur.

«Othon ne cessait pas, de son côté, d'étendre les mains vers eux, d'adresser des hommages à cette multitude et de lui jeter des baisers, se dégradant jusqu'à la bassesse pour se relever à la domination!»

XXIV

Il harangue avec astuce les soldats; on court aux armes, on marche confusément vers la ville.

Une charge de cavalerie balaye le forum de la multitude, qui voulait maintenant défendre Galba.

Le portedrapeau de la cohorte, au milieu de laquelle marchait le vieillard, l'abaisse devant les cavaliers d'Othon. À ce signal de la trahison ou de la peur, la cohorte, jusquelà fidèle, fraternise avec les séditieux.

«À côté du lac Curtius, dit Tacite, le tremblement des porteurs de Galba le fait tomber de sa litière et rouler à terre. On assure qu'il tendit courageusement la gorge aux meurtriers, en leur disant d'agir et de frapper, si c'était pour l'avantage de la république.

«Peu importaient ses paroles à ses assassins.

«Le nom de celui qui le frappa n'est pas suffisamment constaté. Les soldats féroces et cruels déchirèrent en lambeaux ses bras et ses jambes, même après que sa tête eut été séparée du tronc.»

Pison, blessé, qui revenait du camp des prétoriens, se réfugie dans la chambre d'un esclave fidèle; mais, bientôt découvert, il est traîné sur le seuil et égorgé par les soldats d'Othon.

Sa tête, celle de Galba, celle de Vinius, leur lieutenant, sont portées au bout des piques, au milieu des enseignes des légions, auprès des aigles.

XXV

«Vous auriez cru voir, ajoute aussitôt Tacite, un autre sénat, un autre peuple. Tous se précipitent, rivalisant de vitesse et d'empressement, vociférant contre Galba, célébrant la justice des soldats, baisant la main d'Othon. Plus les démonstrations sont fausses, plus ils les redoublent.

«Tout se fit ensuite au gré des soldats. Chaque légion envoie un quart de ses légionnaires imposer ou saccager la ville et les campagnes, avec licence de tout faire, pourvu qu'elle rapportât sa part de pillage à ses chefs, et, après cette alternative de licence, de débauches et de misère, chaque soldat rentrait à son corps, indigent, oisif et lâche, de vaillant qu'il avait été.

«Enfin, une succession d'orgies et de dénûment les précipitait dans les séditions et dans les factions militaires, de là dans les guerres civiles.

«Le corps de Galba, longtemps abandonné et devenu le jouet des profanateurs, pendant les ténèbres, fut enfin enseveli par les soins d'Argius, un de ses anciens esclaves, dans les jardins d'un domaine privé que possédait Galba. Sa tête, mutilée et attachée à une pique par les vivandiers et les valets d'armée devant le tombeau de Patrobius, affranchi de Néron, puni par Galba, fut recueillie le jour suivant et réunie aux cendres de son corps déjà brûlé.»

Quelle tragédie! Et comment n'atelle pas inspiré un Corneille?C'est que le sujet dépasse le génie!

XXVI

Pendant que la sédition militaire fait un empereur à Rome, Tacite nous transporte aussitôt en Germanie, où la sédition militaire en fait surgir un autre dans Vitellius, pour venger Galba.

Valens et Cécina, ses lieutenants, descendent des Alpes en Italie. Vitellius, engourdi par la torpeur du vin et de la table, ivre dès le milieu du jour, les suit lentement, laissant tout faire pour lui à ses soldats.

Othon négocie avec son compétiteur; il lui offre tout ce qui peut séduire un homme plus avide de jouissances oisives que de pouvoir. Vitellius feint d'écouter ces propositions, puis les deux rivaux s'envoient mutuellement des assassins après les ambassadeurs. Ces assassins, découverts, expient leur mission par la mort.

Othon sent enfin la nécessité de rétablir la discipline dans les troupes de Rome et de réprimer l'anarchie; il parle aux prétoriens le langage de la raison et de la sévérité:

XXVII

«Il est des choses dans le gouvernement, leur ditil, que le soldat doit savoir; il en est d'autres qu'il doit ignorer.

«L'autorité des chefs, la rigueur de la discipline, exigent que les centurions, les tribuns militaires euxmêmes, exécutent, sans les examiner, les ordres qu'on leur donne.

«S'il était permis à chacun de ceux qui reçoivent des ordres de s'informer des motifs et de les discuter, l'empire luimême périrait avec le principe nécessaire de l'obéissance.

«Vous n'avez manqué à la subordination que dans mon intérêt; mais, dans ces incursions, dans ces ténèbres, dans cette confusion de toutes choses, les occasions contre moimême peuvent être offertes à mes ennemis. L'armée la plus redoutable dans l'action est celle qui est la plus soumise avant la guerre. À vous les armes et le courage! à moi le conseil et la direction de votre valeur! Que jamais armée ne connaisse ces cris que vous avez proférés contre le sénat!

«Quoi! le sénat, la tête de l'empire, le lustre de toutes nos provinces, demander des supplices contre ses membres! Ô Dieux! ces Germains, que Vitellius pousse contre Rome, ne l'auront pas osé euxmêmes; et vous, enfants privilégiés de l'Italie, vous, jeunesse vraiment romaine, vous demanderiez le sang et le massacre d'un corps dont la splendeur et la gloire font toute notre supériorité sur la bassesse et l'obscurité des Vitelliens.

«Vitellius a une certaine apparence d'armée avec lui, mais le sénat est avec nous. C'est par là que de notre côté est la république, et contre nous les ennemis de la république.

«Croyezvous donc que cette ville si majestueuse existe seulement dans ces maisons, ces toits, ces monceaux de pierres? Ces choses muettes et inanimées peuvent aussi bien se détruire que se relever.

«L'éternité de l'État, le repos des peuples, votre salut à tous, et le mien, résident dans l'intégrité du sénat, qui affermit tout. De même que ce corps, institué sous les auspices des Dieux par le père et le fondateur de Rome, ce corps, continué et immuable depuis nos rois jusqu'à nos Césars, nous a été transmis par nos ancêtres, de même nous devons le transmettre à nos descendants; car c'est de vous qu'émanent vos sénateurs romains, et c'est de vos sénateurs qu'émanent vos princes.»

XXVIII

Ce discours assoupit plus qu'il ne calma Rome.

XXIX

Le tableau tracé ici par Tacite de l'agitation sourde de la ville, de l'oppression latente des soldats, de l'ambiguïté du sénat, tremblant de trop peu faire pour Othon, de trop faire contre Vitellius, est l'étude la plus caractéristique d'un observateur de l'espèce humaine. C'est le Molière grave et politique des peuples en révolution; le peuple romain pose, nonseulement devant son peintre, mais devant son juge.

Lamartine.

LXIXe ENTRETIEN.

TACITE.

DEUXIÈME PARTIE.

I

Continuons:

Othon part avec l'armée et avec une partie de l'aristocratie de Rome et des pouvoirs constitués, pour aller audevant de Vitellius, aux confins de l'Italie, vers les Gaules.

«C'est la première fois que Rome se déplace ainsi, dit Tacite: car, depuis le divin Auguste, le peuple romain avait combattu au loin pour l'ambition ou la gloire d'un seul homme; sous Tibère et sous Caligula, on n'avait eu à gémir que des calamités de la paix; la révolte de Scribonianus contre Claude avait été découverte et étouffée au même instant; c'étaient des murmures et des paroles qui avaient expulsé Néron, plutôt que les armes. Aujourd'hui des légions et des flottes, et, ce qu'on avait vu plus rarement encore, les prétoriens et les soldats, gardiens de la ville, marchaient au combat.»

II

Selon l'admirable économie de ses récits, ordonnés comme des poëmes, Tacite profite de la lenteur d'Othon dans sa marche vers les Gaules pour reporter les regards de son lecteur vers une autre région de l'empire où se noue un autre drame militaire pour un troisième dénouement déjà prévu. Il revient à Vespasien, à Mucien, à leurs sept légions réparties en Judée et en Syrie.

Ces légions apprennent que celles de Rome et de Germanie vont s'entrechoquer pour décider à qui des deux armées reviendra le bénéfice de donner un maître à l'empire; elles s'indignent qu'on en dispose ainsi sans leur aveu; elles méditent de s'en saisir pour un de leurs généraux, pendant qu'on le dispute pour d'autres.

Vespasien, et Mucien son collègue, résolurent d'attendre que les deux partis de Vitellius et d'Othon, affaiblis par leur lutte, laissassent l'ambition plus libre et le succès plus certain à des armées et à des noms encore entiers.

Ici Tacite reprend le récit de la guerre civile, après avoir ainsi montré en Orient le germe d'un autre règne.

III

Othon, suivi des corps d'élite, d'éclaireurs, des cohortes et des vétérans du prétoire, nerf des armées impériales, et des nombreuses légions de marine, s'avance jusqu'au pied des Alpes, audevant du lieutenant de Vitellius, Cécina.

«La marche d'Othon, dit Tacite, n'était ni ralentie ni amollie par le luxe; mais Othon, revêtu d'une cuirasse de fer, à pied, marchant devant les aigles, souillé de poussière, les cheveux en désordre, contrastait par son apparence avec son ancienne réputation de mollesse.

«Cécina, de son côté, comme s'il avait laissé sur l'autre revers des Alpes la licence et la férocité de son caractère, s'avançait en Italie avec une armée irréprochable dans sa discipline. Les colonies et les municipalités romaines qu'il traversait en entrant en Italie lui reprochaient seulement son orgueil. Vêtu, en effet, d'une saie gauloise de diverses couleurs et de braies, vêtement étranger, il osait donner audience ainsi à des citoyens en toges.

«On ne pouvait tolérer non plus que sa femme Salonina, quoique innocemment, le suivît montée sur un cheval magnifique, enharnaché de pourpre. Telle est la nature humaine, que l'on considère d'un regard malveillant la récente fortune d'autrui. On n'exige de personne autant de modestie que de ceux qui étaient naguère nos égaux. Cependant Valens fait sa jonction avec Cécina.»

IV

Un conseil de guerre, tenu en présence d'Othon, où l'on délibère sur la bataille à donner ou à ajourner, fournit à l'historien l'occasion d'une magnifique énumération des forces de l'empire. Othon se décide à laisser livrer la bataille par ses lieutenants, et à se tenir luimême à l'écart en réserve, comme la dernière majesté du peuple romain.

Il se retire à quelque distance avec sa garde. De ce moment sa cause est perdue. Ses troupes, en effet, perdent une première bataille. Ce qui lui reste de légions chancelle dans sa fidélité.

Les négociations s'établissent entre les deux camps; on se demande pour qui et pourquoi on va verser tant de sang romain par des mains romaines. Cependant les généraux d'Othon le conjurent de tenter encore la fortune. Ici l'ambitieux usurpateur du trône change tout à coup de rôle, d'esprit, de langage, par une de ces révolutions d'esprit qui déconcertent souvent l'histoire. Othon devient le plus résigné des philosophes et le plus désintéressé des citoyens. Ses paroles, admirablement reproduites par Tacite, sont dignes de Sénèque, son ancien maître:

V

«Exposer à la mort tant de courage et tant de fidélité, ditil à ses troupes qui lui demandent encore le combat, est un sacrifice bien audessus du prix de ma propre vie. Plus vous me montrez de chances de succès, s'il me convenait de vivre, plus beau et plus méritoire, à moi, me seratil de mourir!

«Nous nous sommes souvent éprouvés, la fortune et moi. Ne comptez pas le temps que j'aurais à régner: il est d'autant plus difficile de jouir avec modération de la puissance souveraine, que cette puissance doit avoir moins de durée pour nous.

«La guerre civile n'est venue que de Vitellius, et, si nous avons combattu par les armes pour l'empire, le crime en est à lui seul. C'est à moi du moins qu'on devra ce bienfait, de n'avoir combattu qu'une fois: c'est par là que la postérité estimera Othon.

«Que Vitellius retrouve à Rome son frère, son épouse, ses enfants: quant à moi, je n'ai besoin ni d'être consolé, ni d'être vengé. D'autres auront possédé l'empire plus longtemps, aucun ne l'aura résigné avec plus de stoïcisme.

«Estce que je souffrirai que, pour ma cause, tant de belle jeunesse romaine, tant de braves armées, égorgées de nouveau les unes par les autres, soient enlevées à la république? Que votre affection me suive au tombeau, comme si vous aviez en effet combattu et péri pour moi; mais survivezmoi, et ne retardons pas plus longtemps, moi, votre salut, vous, mon sacrifice.

«Parler plus longuement à nos derniers moments serait un signe de lâcheté. La meilleure preuve que je puisse vous donner de la liberté réfléchie de ma résolution, c'est que je ne me plains de personne; car maudire les Dieux ou accuser les hommes, c'est le signe d'un homme qui répugne à mourir et qui voudrait vivre encore.»

Quelle grandeur de civisme, même dans ses vices, étale ce peuple romain! Othon était un criminel, mais il était Romain; il parle comme Socrate, il meurt comme un martyr.

VI

Après cette magnifique et courte allocution, à laquelle la brève et mâle concision de la langue latine prête un accent d'inflexibilité et de supériorité d'âme qu'aucune éloquence ne surpasse, Tacite raconte les derniers soucis d'Othon pour ceux qui devaient lui survivre.

VII

«Il employait, pour les résoudre à vivre, l'autorité sur les jeunes gens, les supplications avec les vieillards; serein de visage, intrépide d'accent, se refusant les larmes intempestives.

«Il faisait fournir des barques et des canots à ceux qui voulaient fuir; il anéantissait les lettres et les notes qui auraient pu servir de témoignage du zèle qu'on avait montré pour lui, des injures qu'on avait proférées contre Vitellius; il distribuait des gratifications avec mesure, et nullement comme un homme qui n'a rien à ménager après lui; ensuite il s'appliqua à consoler le fils de son frère, Salvius Coccéianus, enfant en bas âge, qui tremblait et qui pleurait, louant sa tendresse, gourmandant son effroi, l'assurant que le vainqueur ne serait pas assez barbare pour refuser la grâce de ce neveu, à lui, qui avait conservé à Rome toute la famille de Vitellius, et qui allait, par la promptitude de sa propre mort, mériter la clémence de ce rival: car ce n'était point, ajoutaitil, dans une extrémité désespérée, mais à la tête d'une armée demandant à combattre, qu'il épargnait volontairement à la république une calamité nouvelle; qu'il avait assez de renommée pour luimême, assez d'illustration pour ses descendants; que le premier, après les Jules, les Claude, les Servius, il avait porté l'empire dans une nouvelle famille; que son neveu devait donc accepter la vie avec une noble assurance, sans oublier jamais qu'Othon fut son oncle, et cependant sans trop s'en souvenir.»

VIII

«Après ces soins donnés aux autres, il prit quelques moments de repos.

«Déjà son esprit ne s'occupait plus que des suprêmes pensées, quand un tumulte soudain vint lui rappeler la consternation et l'anarchie des soldats; ils menaçaient de mort ceux qui voulaient partir.

«Othon, après avoir sévèrement gourmandé et réprimé les séditieux, revint recevoir les adieux de ses amis et s'assurer qu'ils pussent se retirer avec sécurité. À la chute du jour, il but de l'eau glacée pour apaiser sa soif; ensuite il se fit apporter deux glaives, et, après les avoir examinés tous les deux, il en plaça un sous sa tête. Après s'être assuré du départ de ses amis, il passa une nuit tranquille, et l'on dit même sans insomnie...

«À la première heure du jour, il se laissa tomber sur le glaive. Aux gémissements du mourant, ses esclaves, ses affranchis et Plotius, préfet du prétoire, entrèrent: il était mort d'un seul coup.»

IX

«On hâta ses funérailles; il l'avait recommandé avec instance, de peur que sa tête coupée ne devînt le jouet des vainqueurs.

«Les cohortes prétoriennes portèrent son corps avec des éloges et des larmes, baisant à l'envi sa blessure et ses mains. Quelquesuns des soldats se tuèrent sur son bûcher; ce ne fut ni par crainte, ni par remords, mais par une certaine émulation d'honneur et d'attachement à leur empereur.

«Ce genre de mort fut imité ensuite par d'autres soldats de ses troupes à Bédriac, à Plaisance, et dans d'autres camps.

«On lui éleva un tombeau modeste, pour qu'il fût durable.»

Quelle vertu, non, jamais assez contemplée par l'histoire!

X

Rome et le sénat préviennent par leurs versatilités les vœux de Vitellius. Il est salué empereur; on relève, pour lui complaire, les statues de Néron. La Syrie et la Judée le reconnaissent.

«Cependant, dit Tacite, il tressaillait au nom de Vespasien, qui était déjà dans les vagues rumeurs du peuple. Rassuré un moment sur les dispositions de ce général, ajoute Tacite, Vitellius et son armée, se croyant sans compétiteur, se vautraient à Rome dans tous les excès de cruauté, de pillage et de débauche dont ils avaient rapporté l'habitude de leur long séjour chez les barbares.»

XI

Pendant ces désordres, Vespasien, mûri par l'âge et par sa sollicitude pour ses deux fils, délibère avec luimême s'il cédera au vœu de ses légions, qui le provoquent à l'ambition du pouvoir suprême.

«Quel jour, se disaitil, que celui où il livrerait au hasard le fruit de ses combats, ses soixantedeux ans, et deux fils encore si jeunes!

«Il y a un repentir et un retour aux pensées qui ne sortent pas de la sphère de la vie privée, et on peut y livrer impunément plus ou moins de soimême à la fortune; mais pour ceux qui tendent à l'empire, il n'y a point de milieu entre le faîte et l'abîme!»

XII

Quelle langue et quelle pénétration dans le cœur des choses et des hommes!

Montrezmoi un historien de cette trempe dans les auteurs modernes, fûtce Bossuet!

XIII

Mucien, que Vespasien pouvait rencontrer comme rival en Syrie, puisqu'il y commandait plus de légions que lui, le convie luimême à tout oser. Mucien veut bien consentir au second rang, pourvu que le premier soit occupé par un chef moins ignoble que Vitellius.

Le discours qu'il adresse à Vespasien pour le décider à briguer l'empire, est un cours de politique à l'usage des ambitieux, aussi habile en séductions du pouvoir que le discours d'Othon est magnanime de désintéressement et de philosophie.

Tacite lit dans les conseils des ambitieux comme dans l'âme des sages rassasiés du monde.

XIV

«Je me place, dans ma pensée, audessus de Vitellius, dit Mucien à son collègue, mais je te place audessus de moi.

«Il serait peu sensé, à moi, de ne pas céder l'empire à celui dont j'adopterais le fils pour successeur (Titus), si je régnais moimême; d'ailleurs notre sécurité même te commande d'accepter. Notre vie, en effet, court maintenant moins de risque dans la guerre ouverte que dans la paix, car ceux qui délibèrent sur la rébellion sont déjà rebelles!»

Vespasien, encore indécis, est proclamé malgré lui par les légions de Judée, de Syrie, d'Égypte; celles des bords de l'Adriatique, de l'Espagne, de la basse Italie suivent successivement l'exemple des légions d'Orient.

Vitellius n'était pas encore à Rome, que déjà l'empire lui échappait de tous côtés.

XV

Son armée, de cent vingt mille hommes, à moitié Germains et Gaulois, était appesantie par une multitude de sénateurs, de populace, de bouffons, de comédiens, d'histrions, de gladiateurs, de conducteurs de chars, familiers habituels de Vitellius; son entrée à Rome rappelait les triomphes de Bacchus.

Quatre mois d'orgies déshonorent et usent son règne; ses troupes s'amollissent dans la licence et dans les insubordinations d'une capitale.

La proclamation de Vespasien, longtemps cachée à l'Italie, y éclate enfin.

Cécina, à qui Vitellius doit l'empire, sort de Rome avec une armée pour aller combattre Mucien et Vespasien en Dalmatie; mais Cécina, tout en embrassant Vitellius avant son départ, médite ou rêve déjà sa défection.

Les séditions travaillent l'armée; la flotte abandonne la cause de Vitellius. Cécina insurge luimême son camp pour Vespasien.

Bientôt le remords saisit ses soldats; ils enchaînent leur corrupteur et rétablissent les images de Vitellius. Enveloppés dans Crémone par les légions des lieutenants de Vespasien, les soldats de Vitellius capitulent, brisent les fers de Cécina, et conjurent ce traître de les protéger maintenant contre la vengeance de l'armée ennemie.

XVI

L'Italie entière se décompose; l'armée de Vespasien s'avance jusqu'à Narni, à trois journées de Rome sans rencontrer d'autres ennemis qu'une populace recrutée à la hâte par Vitellius. Cette multitude se disperse au premier choc. Les généraux de Vespasien font offrir des conditions favorables à Vitellius, s'il veut abdiquer l'empire qui s'écroule; il penche vers ce parti.

XVII

«Les avis courageux, dit Tacite, n'avaient point d'accès dans son oreille; son esprit s'écroulait sous les soucis et les angoisses. Il craignait qu'une lutte plus obstinée ne rendît le vainqueur plus inexorable. Il avait une mère affaissée par les années, qui toutefois, par une mort opportune, échappa, peu de jours avant, au spectacle de la catastrophe de sa maison, n'ayant gagné ellemême à la souveraineté de son fils que des chagrins et une estime générale.»

XVIII

«Le 15 des calendes de janvier, à la nouvelle de la défection des légions et des cohortes à Narni, Vitellius sort de son palais, vêtu de deuil et entouré de sa famille éplorée; on portait près de lui, dans une petite litière, son fils en bas âge comme dans une pompe funèbre. Les paroles du peuple, à l'aspect de ce cortége, étaient décourageantes et intempestives; les soldats restaient dans un silence menaçant.

«Nul cependant n'était assez insensible aux vicissitudes des choses humaines pour ne pas s'émouvoir à ce spectacle. Le souverain des Romains, si peu de temps auparavant, le maître de l'univers, abandonnant le siége de sa puissance, sortait de l'empire, à travers son peuple, au milieu de sa capitale.

«Jamais on n'avait rien contemplé, jamais rien entendu de comparable.

«Une conjuration soudaine avait assailli le dictateur Jules César; des embûches cachées avaient fait trébucher Caligula; les ténèbres de la nuit et une maison de campagne obscure avaient abrité la fuite de Néron; Pison et Galba étaient tombés comme sur un champ de bataille; Vitellius, au contraire dans une assemblée publique, au milieu de ses propres soldats, en présence même des femmes, parla en termes brefs et convenables à la tristesse présente de sa situation.»

XIX

«Il dit qu'il se retirait par sollicitude pour la paix publique et pour le salut de l'État. Il demanda qu'on lui conservât un souvenir, qu'on prît en pitié son père, sa femme et l'âge innocent de ses enfants. Puis, élevant son fils dans ses bras tendus vers la foule, et le recommandant tantôt à chacun en particulier, tantôt à tous, et interrompu par ses propres sanglots, il détache son épée de sa ceinture et la remet au consul présent, Cécilius Simplex, en témoignage du droit de vie et de mort qu'il abdiquait sur les citoyens.

«Le consul ayant refusé de la recevoir, et les spectateurs l'engageant à la déposer, avec les marques du pouvoir impérial, dans le temple de la Concorde, il se dirigea vers la maison de son frère. Mais une clameur plus obstinée s'oppose à ce qu'il aille demander asile à des pénates privés, et le rappelle forcément au palais. Tout autre chemin lui étant fermé, et n'ayant d'ouvert devant lui que la voie Sacrée, qui y mène, il rentre dans son palais.»

XX

Pendant la nuit, des rixes sanglantes s'élèvent entre les partisans de Vitellius et ceux de Vespasien. Vitellius, impuissant, ne peut ni prévenir, ni seconder ces mouvements désordonnés du peuple et des soldats.

Le matin, ses troupes attaquent, malgré lui, le sénateur Sabinus, chef du parti de Vespasien, barricadé dans le Capitole; le Capitole est incendié avec les statues des dieux et des héros, changées par les combattants en armes défensives ou agressives.

Ici, l'histoire de Tacite prend tour à tour l'accent de l'élégie sacrée et celui de l'imprécation:

«Et quelle cause nous armait? s'écrie l'historien, quelle était la compensation d'une si grande ruine?

«Étaitce pour la patrie que nous combattions? Le vieux roi de Rome, Tarquin, avait consacré ce temple pour obtenir la protection des Dieux dans la guerre contre les Sabins; il en avait jeté les fondements, plutôt dans la vue de notre future grandeur, que dans les proportions encore si modiques du peuple romain; ensuite Servius Tullius, avec le concours de nos alliés, et Tarquin le Superbe, avec les dépouilles de Suessa, avaient construit ses murailles; mais la gloire d'élever ce chefd'œuvre était réservée à la liberté.»

XXI

Les Vitelliens, vainqueurs au Capitole, égorgent les partisans de Vespasien, surpris dans le temple.

Ils combattent ensuite dans les faubourgs contre les légions de Narni qui cernent la ville.

L'assaut donné à Rome et le combat de rues des deux partis sont peints par Tacite en traits de plume qui découvrent l'abîme de corruption d'un peuple vieilli remué dans sa fange.

«Le peuple, ditil, assistait en spectateur aux coups des combattants, et, comme dans les jeux du cirque, il les animait tour à tour de ses acclamations et de ses battements de mains.

«Si un des deux partis venait à plier, si les vaincus se cachaient dans les boutiques, ou se glissaient dans quelques maisons, la populace s'ameutait pour qu'on les jetât dehors et qu'on les égorgeât, afin de s'emparer de leurs dépouilles; car, tandis que le soldat s'acharnait à tuer, le bas peuple s'acharnait au pillage.»

XXII

«Horrible et difforme était l'aspect de la ville: ici des meurtres et des blessures; là des tavernes et des bains; ici des ruisseaux de sang et des monceaux de cadavres; là des courtisanes et des hommes prostitués comme elles; tout ce qu'il y a de débauches dans la riche oisiveté de la paix, tout ce qu'il y a de forfaits dans la plus implacable victoire; en sorte que vous eussiez cru voir la même ville se déchirer et se débaucher à la fois.»

XXIII

«Déjà, dans deux circonstances, sous Sylla et sous Cinna, des armées s'étaient combattues dans les murs de Rome; il n'y avait pas eu alors moins d'acharnement, mais il y avait cette fois une plus inhumaine insouciance, tellement que les plaisirs mêmes n'y furent pas interrompus un seul instant. C'était comme un surcroît de volupté ajouté à des fêtes publiques: on exultait, on se délectait. Indifférents à la victoire ou à la défaite des partis, on semblait se réjouir des malheurs publics.

«Rome forcée, Vitellius, s'échappant par les derrières du palais, se fait transporter en litière au mont Aventin, à la maison de sa femme, et on le dépose dans une chambre retirée de la maison.»

XXIV

«Il espérait, en restant caché le reste du jour dans cette retraite, pouvoir se réfugier la nuit à Terracine, auprès des cohortes et de son frère. Mais bientôt, par cette mobilité de résolution, effet de la peur, qui fait que, parmi les choses qu'on redoute, celles qu'on a sous les yeux paraissent toujours plus redoutables, il revient furtivement dans son palais, qu'il trouve vide et désert, car tous ses serviteurs étaient dispersés ou s'évadaient pour éviter sa rencontre.

«La solitude et le silence du lieu le glacent d'effroi; il entr'ouvre des portes, il recule épouvanté du vide des appartements; fatigué d'errer misérablement ainsi, le tribun militaire, Julius Placidus, le traîne hors du sale réduit où il est découvert, ses deux mains liées derrière le dos, ses habits déchirés: spectacle ignoble!

«On le pousse hors du palais. Beaucoup l'insultaient, aucun ne versait une larme sur son sort: l'ignominie du dénoûment avait détruit toute compassion dans la foule. Un soldat germain, s'élançant vers lui, l'atteignit d'un coup de son épée, soit par colère, soit plutôt pour le dérober à tant de dérisions et d'outrages, soit en cherchant à frapper le tribun; l'arme trancha l'oreille du tribun, et le soldat fut à l'instant massacré.»

XXV

«Vitellius, forcé de relever la tête, par la pointe des épées qu'on lui plaçait sous le menton, était contraint, tantôt de présenter son visage aux insultes, tantôt de regarder ses propres statues s'écroulant sous ses yeux, tantôt la tribune aux harangues et la place où l'on avait tué Galba.

«Après cela, on le poussa vers les gémonies, où l'on avait exposé récemment le cadavre de Julius Sabinus. On n'entendit de lui qu'un seul mot, qui attestait encore un reste de fierté dans son âme, lorsqu'aux insultes du tribun militaire il répondit:Et cependant j'ai été ton empereur!Il tombe enfin percé de coups, et la populace l'outrage après sa mort avec la même lâcheté qu'elle l'avait adoré vivant.

«Vitellius mort, la guerre avait plutôt cessé que la paix n'avait commencé dans Rome.»

XXVI

Ici une horrible peinture du massacre et des proscriptions soldatesques après la victoire des soldats de Vespasien.

Le sénat, dispersé pendant la bataille, rentre dans Rome et ne marchande pas son adhésion. Il décerne le consulat à Vespasien et à son fils Titus; il donne, en les attendant, la préture et le pouvoir consulaire à Domitien, autre fils de Vespasien, présent à Rome à la révolution qui va couronner son père. «Ensuite, dit Tacite, on pensa aux Dieux; on voulut bien convenir de réédifier le Capitole.»

XXVII

Ici, avec un art de composition qui fait contraster la plus pure vertu avec la plus infâme corruption du temps, et qui repose l'esprit lassé de tant de turpitudes, Tacite fait apparaître tout à coup dans le sénat un grand citoyen, un débris de l'antiquité dans l'infamie moderne, Helvidius Priscus; il se complaît à retracer l'homme et le discours.

Ce portrait n'est pas seulement d'un grand peintre, il est d'un grand moraliste.

Le buste d'un homme de bien réhabilite tout un corps avili, et rend quelque généreuse émulation à toute une époque de décadence. C'est dans ce portrait surtout qu'il faut étudier les véritables opinions de Tacite: on se caractérise par ses amitiés; on se juge par les jugements qu'on porte sur les autres.

Relisons:

XXVIII

«Helvidius Priscus était né à Terracine.

«Jeune, il avait appliqué son esprit supérieur aux plus hautes études, non, comme le plus grand nombre, pour parer une molle oisiveté d'une réputation éclatante, mais pour se dévouer à la république avec une âme affermie contre toutes les vicissitudes du sort.

«Il avait choisi pour maîtres de philosophie ces sages qui estiment que le seul bien est l'honnête, le seul mal le vice, et qui ne comptent la noblesse, la puissance, et tout ce qui est en dehors de l'âme, ni parmi les vrais biens, ni parmi les vrais maux.

«Choisi pour gendre par Thraséa, de toutes les vertus de son beaupère, il n'en rechercha aucune autant que l'amour de la liberté.

«Citoyen, sénateur, époux, gendre, ami, il était égal à tous les devoirs de la vie, dédaigneux des richesses, passionné pour la justice, inaccessible à la crainte.

«Quelquesuns lui reprochaient d'être trop avide de gloire, dernière faiblesse, en effet, dont les plus sages se dépouillent après toutes les autres.

«Exilé avec son beaupère, il était rentré à Rome sous Galba, pour y défendre Thraséa.

«La délibération du sénat sur le parti à prendre après la mort de Vitellius le rappelle à la tribune. Il voulait qu'au lieu de tirer au sort les députés qu'on enverrait à Vespasien pour lui décerner l'empire, on lui envoyât des députés choisis au mérite et aux opinions, parmi les hommes les plus vertueux du sénat, afin, disaitil, que ce choix indiquât à ce prince ceux qu'il devait estimer, ceux qu'il devait éloigner, car, ajoutaitil, il n'y a pas de meilleurs instruments d'un bon gouvernement que des hommes de bien.»

CRITIQUE
DE
L'HISTOIRE DES GIRONDINS.

I

Les Persans, nos aînés en sagesse comme en années, regardent la vieillesse comme un don céleste qui permet à l'esprit de thésauriser plus d'intelligence et plus de vérités. Les cheveux blanchis leur paraissent un symptôme de maturité: ils ont exprimé cette opinion dans un proverbe. Les proverbes, en Orient, sont les médailles des langues. Après avoir été monnaie des peuples, les proverbes se retrouvent dans les décombres des nations, et se conservent dans leur mémoire comme des axiomes qu'on ne discute plus. À un proverbe, point de réplique; on dirait qu'un dieu a parlé là; en un mot, on incline la tête, on accepte sur parole et on se tait.

Or ce proverbe des Persans, qui fut vraisemblablement déjà proverbe avant Zoroastre, le voici:

Agrandissement d'années, élargissement d'intelligence;

C'estàdire, plus vous avez de temps pour voir les choses humaines, et mieux vous les comprenez. Autrement dit, à mérite égal, les hommes mûrs ont plus de sagesse que les jeunes gens. C'est tellement banal qu'on rougit de le discuter. L'âge n'atil pas eu de tout temps l'autorité de la présomption de sagesse? Aton jamais vu une seule nation (excepté les Abdéritains, peuple fou qui voulait rire) mettre sa jeunesse dans son sénat, demander leurs lumières à ceux qui n'ont rien appris, et leur expérience à ceux qui n'ont pas encore vécu!

Non, ce bal masqué de barbes grises allant recevoir les leçons des imberbes, comme disait Henri IV, serait la nature renversée. Que deviendrait le respect, ce grand auxiliaire moral des gouvernements? Que deviendrait la société politique, enfance éternelle qui condamnerait les peuples à une éternelle étourderie? Si le passé n'enseignait pas l'avenir, à quoi bon la mémoire? Le monde recommencerait tous les jours, et cette succession de folies de jeunesse ne serait qu'une succession de catastrophes dans l'histoire des nations.

L'expérience est donc quelque chose, et les années apportent cette expérience aux esprits sincères. Voilà l'explication et la justification du proverbe persan: Agrandissement d'années, élargissement d'intelligence. La vie est une leçon, et toute leçon doit profiter à celui à qui Dieu l'accorde.

II

Or, en France, où l'on parle si bien, mais où l'on pense trop vite; en France, où les paradoxes courants prennent si souvent la place des vérités acquises, les partis arriérés ou avancés ont adopté depuis quelques années un proverbe tout contraire, le proverbe du contresens, le proverbe du sophisme. Le sens de ce proverbe est celuici: celui qui change d'opinion a tort; celui qui reçoit les leçons de la vie et qui en profite pour rectifier ou modifier sa pensée est un grand coupable. Malheur et mépris aux esprits progressifs qui s'améliorent, qui se rectifient, qui se corrigent euxmêmes en vivant! Ils sont présumés intéressés, versatiles, adulateurs du temps qui court, apostats de leur tradition et d'euxmêmes. Honneur et respect aux incorrigibles! Confiance exclusive aux esprits pétrifiés et aux caractères têtus qui, lorsqu'ils ont une fois proféré une erreur ou une sottise, ne s'en dédisent jamais et veulent mourir, comme disait Chateaubriand, ce grand oracle du respect humain dans ce siècle, «non pas conformes à la vérité, mais conformes à euxmêmes.»

III

J'avoue que je n'ai jamais compris le sens de cet axiome de l'obstination des partis, quels qu'ils soient, en France: «Tu ne changeras pas.»

Tu ne changeras pas, c'estàdire tu vivras des jours sans nombre, tu verras des idées justes prendre la place de préjugés absurdes, des trônes s'écrouler sur des fondements vermoulus, des castes s'effacer devant des nations, des gouvernements légitimes se fonder sur les devoirs réciproques des hommes en société de services et de défense mutuels, des démagogues surgir comme les vices incarnés de la multitude, irriter les passions du peuple, les pousser jusqu'au délire, jusqu'au meurtre, s'armer de ces fureurs populaires pour prendre la hache au lieu de sceptre et pour promener, sur ce peuple luimême, ce niveau de fer qui trouve toujours une tête plus haute que son envie; tu verras le sang le plus pur ou le plus scélérat couler à torrents dans les rues de tes villes; tu verras les partis populaires épuisés céder au parti soldatesque, première forme de la tyrannie; tu verras un soldat popularisé par la victoire prendre à la fois la place de la liberté, du trône et du peuple par un coup de main; tu le verras provoquer le monde pour le vaincre, changer l'Europe en un champ de bataille annuel, faucher périodiquement les générations nouvelles, plus vite que la nature ne les fait naître, pour son ambition, en sorte que les vieillards se demandaient s'il y aurait encore une jeunesse et si Dieu ne faisait plus naître les générations que pour mourir à vingt ans au signe de ces pourvoyeurs de la gloire.

Tu verras tomber ce gouvernement, en rendant par sa chute la vie à la jeunesse de son peuple; et, prodige de démence, tu verras après trente ans les peuples déifier ce consommateur de peuples et lui faire un titre de règne du plus grand abus de sang humain qui ait jamais été fait, depuis César, en Occident!

Tu auras vu envahir deux fois la patrie par le reflux inévitable de l'Europe sur ce nid d'aigles qu'on appelle la France, où le conquérant, conquis à son tour, allait devenir la proie de sa proie.

Tu auras vu que la gloire n'est qu'une fumée de sang humain qui monte au ciel, il est vrai, en fascinant les yeux myopes des peuples, mais qui y monte pour défier sa justice et pour provoquer sa vengeance.

Tu auras vu des rois légitimes, héritiers d'un juste décapité, rappelés de l'exil au trône, rapporter la paix, la liberté, la libération du territoire; adopter ce qu'il y avait de juste dans la révolution; rétablir la souveraineté représentative du peuple; faire prospérer leur pays sous la sauvegarde de tous les droits équitablement pondérés; y faire fleurir l'éloquence de la tribune et de la presse, cette royauté de l'intelligence de niveau avec la royauté du sang; présider du haut d'un trône populaire à une véritable renaissance de tous les arts de l'esprit, de toutes les industries de la paix; tu les auras vus, frappés par les armes mêmes qu'ils avaient remises à la nation, odieusement accusés des désastres que leur présence venait réparer, et chassés du trône, d'exil en exil, par l'ingratitude de la liberté.

IV

Tu auras vu un schisme de famille s'emparer de ce trône par voie de popularité fondée sur un mauvais souvenir, hérédité qui ne devait pas être un crime dans les fils innocents des fautes du père, mais qui ne devait pas être non plus un titre à la couronne tombée avec la tête d'un martyr de la royauté.

Tu auras vu tomber à son tour, presque sans secousse, ce roi mal assis sur les débris de sa maison, par la versatilité d'un peuple qui ne sait ni haïr ni aimer longtemps.

Tu auras vu la France remise debout par l'effort de citoyens désintéressés, appelée, sans acception de parti ou de caste, à se gouverner ellemême, s'élever pendant quelques mois à une magnanime modération et à une légalité volontaire, chercher en soimême les conditions de la liberté, sauver l'ordre, la vie des citoyens, la paix du monde, puis abdiquer déplorablement son propre règne et préférer la gloire d'un nom dynastique à sa propre dynastie républicaine, trop fatigante pour sa faiblesse; semblable à ces souverains détrônés de nos premières races qui, laissant les ciseaux du moine dépouiller leurs fronts chevelus, regardaient du fond d'un cloître régner à leur place l'élu du camp ou le maire du palais.

Tu auras vu ces mêmes multitudes, qui saluaient l'écroulement des trônes, saluer de leurs acclamations la restauration des trônes; tu auras vu les tribuns les plus démagogues se transformer en courtisans les plus dévoués, sous prétexte de couronner le peuple en couronnant l'armée. L'armée, peuple en effet, peuple héroïque sur les champs de bataille, peuple qui sauve la patrie en uniforme, mais qui marche à tous les tambours, pour ou contre tous les droits du peuple luimême, pourvu que la gloire militaire lui dore toutes les causes et lui compte au même taux toutes les journées dans des états de services qui vont du 18 brumaire à Marengo, d'Austerlitz à Waterloo, de Waterloo à Alger, d'Alger à l'acclamation de la république, de l'acclamation de la république au 2 décembre, du 2 décembre à Solferino, de Solferino qui sait où.

Tu auras vu tout cela; tu auras appris pendant un demisiècle ce que valent les principes les plus contradictoires de gouvernement; tu auras partagé le fanatisme presque unanime de 1789 pour la régénération d'un royaume sous l'initiative si bien intentionnée d'un roi philosophe et magnanime, qui se dépouillait luimême de son sceptre pour donner ce sceptre à son peuple; tu auras partagé trois ans après l'indignation et le remords de la nation contre l'ingratitude de ce peuple conduisant en pompe son bienfaiteur couronné à l'échafaud et enseignant ainsi à l'histoire que la vertu est un crime et que le premier devoir d'un roi, c'est de régner.

V

Tu auras partagé l'exécration du monde contre ces terroristes de la première république, livrant tous les jours une ration de sang humain à leurs séides, et croyant qu'on bâtit des monuments de liberté sur des fondations de cadavres.

Tu auras partagé l'enthousiasme imprévoyant des armées affamées de gloire et des citoyens affamés d'ordre pour un empire sorti des camps pour expirer sur le sol deux fois conquis de la patrie.

Tu auras accueilli le retour des héritiers de Louis XVI comme une providence, et tu les auras bannis, quelques années après, comme des criminels d'État.

Tu auras eu des hymnes pour une monarchie, dite de Juillet, fondée sur toutes les violations du droit monarchique, et tu auras eu des huées contre elle le lendemain de sa chute.

VI

Tu auras eu des aspirations romaines pour une république légale et pacifique, réconciliant dans une concorde unanime toutes les classes prêtes à s'entredéchirer! Tu auras été ivre de sécurité et de joie en voyant cette république, qui se craignait ellemême, abolir courageusement la peine de mort le lendemain de son avénement imprévu, de peur d'abuser jamais des armes que tous les régimes s'étaient transmises jusquelà les uns aux autres pour immoler leurs ennemis; tu auras frémi d'espérance en voyant cette démocratie philosophique déclarer la paix au monde étonné; tu auras eu le délire de l'admiration en voyant quelques citoyens obéis par le peuple et pressés par d'innombrables prétoriens de la multitude de perpétuer leur dictature; tu les auras vus, au contraire, appeler la nation entière à se lever debout dans ses comices afin de remettre plus vite cette dictature à la nation représentant cette légitimité des interrègnes; et quand la nation, relevée par la main de ces hommes de sauvetage, aura repris son aplomb et son sangfroid, tu n'auras eu pour ces citoyens, victimes émissaires de leur dévouement, que des calomnies, des mépris, des outrages, des abandons, pour décourager les abnégations futures, et pour montrer à l'avenir qu'on ne sauve sa patrie qu'à la condition de se perdre soimême: mauvais exemple qui ne profitera pas à la nation.

VII

Tu auras vu tout cela!

Et l'on voudrait que tu fusses resté le même, sans incrédulité quand tout trompe, sans variation quand tout varie, sans modification quand tout change, sans ébranlement quand tout tombe, sans expérience quand tout enseigne autour de toi! Royaliste en 89, Jacobin modéré en 1790, Girondin en 1791, terroriste en 1793, thermidorien réactionnaire en 1795, bonapartiste en 1798, consulaire, impérialiste en 1805, bourbonien légitimiste en 1815, orléaniste en 1830, républicain en 1848, napoléonien en 1850, impérialiste en 1852, et aujourd'hui, que saisje? agitateur de l'Europe à peine calmée, évocateur de guerres en Occident et en Orient, auxiliaire de l'ambition d'un roi des Alpes pour monopoliser les républiques, les trônes et les tiares en Italie; dupe de l'Angleterre monopolisant à son tour les mers, les montagnes et les péninsules par la main d'un roi, viceroi des tempêtes!

VIII

Quoi! vivre si longtemps ne t'aurait servi qu'à cela! Tu ne saurais pas aujourd'hui que les plus belles philosophies n'ont que des jours d'explosion et des années de fumée, fumée à travers laquelle on ne reconnaît plus rien que des décombres; que les peuples, comme des banqueroutiers de la vérité, ne tiennent jamais ce qu'ils promettent; que les princes les meilleurs ne recueillent que l'assassinat, comme Henri IV, ou le martyre, comme Louis XVI; que les réformateurs les plus bienfaisants ont pour ennemis les utopistes les plus absurdes; que les gouvernements héréditaires subissent les dérisions de la nature, qui ne sanctionne pas toujours l'hérédité du génie ou des vertus; que les gouvernements parlementaires subissent la domination de l'intrigue, la fascination du talent, l'aristocratie de l'avocat, qui prête sa voix à toutes les causes pourvu que l'on applaudisse, et qui est aux assemblées ce que la caste militaire est aux despotes, pourvu qu'ils les payent en grades et en gloire; que les gouvernements absolus font porter à tous la responsabilité des fautes d'une seule tête; que les gouvernements à trois pouvoirs sont souvent la lutte de trois factions organisées qui consument le temps des peuples en vaines querelles, qui n'ont d'autre mérite que d'empêcher les grands maux, mais d'empêcher aussi les grandes améliorations, et qui finissent par des Gracques ou par des Césars, ces héritiers naturels des anarchies ou des servitudes; que les républiques sont la convocation du peuple entier au jour d'écroulement de toute chose pour tout soutenir, le tocsin du salut commun dans l'incendie des révolutions qui menace de consumer l'édifice social; mais que si ces républiques sauvent tout, elles ne fondent rien, à moins d'une lumière qui n'éclaire pas souvent le fond des masses, d'une capacité qui manque encore au peuple, et d'une vertu publique qui manque plus encore aux classes gouvernementales.

IX

Que vous ayez eu toutes ces nobles illusions du royalisme, des gouvernements à une tête, des gouvernements à trois têtes, des gouvernements de parole, des dictatures ou des républiques dans votre jeunesse, sur la foi des théories toujours séduisantes comme les mirages de l'esprit humain, cela est naturel, honorable même, aux différentes phases d'une vie qui pense. Les théories sont les beaux songes des hommes de bien; il est glorieux d'être successivement trompé par elles; ces déceptions sont les douleurs sans doute, mais non les remords de l'esprit. Et l'on veut qu'après soixante années d'épreuves de toutes ces natures de gouvernement, vous vous imposiez la loi de croire ce que vous ne croyez plus, de dire ce que vous ne pensez plus, d'affecter par vanité de constance dans vos opinions une opiniâtreté de mauvaise foi dans des doctrines qui vous ont menti, déçu, trompé tant de fois!

C'est là une ostentation de fausse sagesse qui n'est que la répugnance de l'orgueil humain à confesser sa faiblesse, ou bien ce n'est qu'une improbité d'esprit donnant au monde une fausse monnaie de conviction pour acheter à ce prix l'estime du vulgaire, qui s'attache à ces immutabilités d'attitude comme à des preuves de force, tandis qu'elles ne sont le plus souvent que des impuissances de l'esprit ou des fanfaronnades du caractère.

Je dirai plus, ces immutabilités d'opinion sont une offense à Celui qui a fait de la vie un enseignement à tous les âges, un refus de prêter l'oreille, l'esprit, le cœur à Celui qui nous éclaire par l'expérience, depuis le premier jour où l'homme pense et doute jusqu'au jour où il cesse de penser et de douter. De toutes les heures de la vie, chacune est chargée de nous apporter une vérité; aucune de ces heures ne vient à nous les mains vides, et c'est peutêtre la dernière heure d'une longue vie qui vous apporte la vérité la plus précieuse en récompense de votre sincérité à la rechercher et de votre patience à l'attendre.

X

En résumé, la vie est une leçon que le temps est chargé de donner à l'homme en lui faisant épeler, syllabe par syllabe, les événements.

Celui qui n'a pas changé n'a pas vécu, puisqu'il n'a rien appris.

Celui qui prétend avoir tout su le premier jour est un homme qui n'avait ni raison de naître, ni raison de vivre, ni raison de mourir, car il n'avait rien à apprendre en naissant.

Il n'avait rien appris en vivant, il mourait sans emporter ou sans laisser après lui sur la terre le moindre profit de la vie: théorie de l'immobilité qui fait de l'homme immuable la créature du temps perdu.

Une telle théorie insulte à la fois l'homme et Dieu. N'insistons pas: changer, c'est vivre; vivre, c'est changer.

La vie n'est pas semblable à ces fontaines d'Auvergne, pleines de sédiments impurs, qui pétrifient ce qu'on leur jette, et qui, au lieu d'une fleur ou d'un fruit, vous rendent une pierre. La vie est un courant qui mène à la vérité, c'estàdire au bien. Le temps sait tout; et nous ne pouvons savoir quelque chose qu'en l'associant à nos ignorances et en lui demandant ses secrets.

XI

Il est donc nonseulement permis de changer en vivant, mais c'est un devoir de conscience. Bien entendu que cette théorie du changement s'applique à l'esprit, mais non au cœur; que le changement doit être désintéressé et non vénal; que tout changement qui consiste à abandonner une cause vaincue parce qu'elle est vaincue est une lâcheté; que tout changement qui consiste à s'allier à une cause victorieuse parce qu'elle est victorieuse est une abjection de caractère; que changer par ambition, c'est une suspicion légitime de vice; que changer par cupidité de fortune, est une vénalité du cœur qui déshonore la vérité même; que changer d'amis quand la fortune les trahit, est une versatilité d'affection qui prouve la courtisanerie de l'âme. Mais que changer d'opinion sans abandonner ses sentiments personnels, ni les vaincus, ni les malheureux, ni les faibles; changer à ses dépens en s'exposant sciemment, au contraire, aux dénigrements d'intentions, aux colères du respect humain, au mépris des partis et aux souffrances de considération qui suivent ordinairement ces progrès des hommes sincères dans ce qu'ils croient la route des améliorations morales et des vérités progressives, c'est souffrir pour la cause du bien, c'est le martyre d'esprit pour la vérité, martyre que les hommes aggravent par leur fiel et par leur vinaigre, mais que la vérité récompense par les jouissances de la conscience.

Même quand le martyre s'est trompé de cause, il ne s'est pas trompé de vertu!

XII

Je pense ainsi, et voilà pourquoi je ne me reproche point d'avoir changé quelquefois, dans le cours de mes années, d'opinions ou de marche dans les situations diverses où se sont trouvés notre pays et notre temps. Je me reprocherais plutôt de n'avoir pas assez changé, c'estàdire de n'avoir pas assez profité du temps que Dieu m'a laissé vivre pour me transformer davantage encore; d'avoir peutêtre trop sacrifié aux convenances, aux situations antécédentes, au respect humain, à toutes ces considérations personnelles qui empêchent de se démentir plus franchement de ce qu'on a dit étourdiment sur la foi d'autrui dans son âge d'ignorance: toutes choses qui sont louables au point de vue du monde, mais qui sont méprisables au point de vue de Dieu; freins timides qui retardent la marche de la pensée d'un siècle par la difficulté d'avouer que le vieil homme est mort en vous, qu'on est un nouvel homme, et par le désir naturel, mais coupable, de concilier vaniteusement en vous l'homme d'hier et l'homme d'aujourd'hui.

Dire: «Je me suis trompé,» c'est le prosternement de l'orgueil, et cet orgueil, cependant, il faut le fouler aux pieds, si l'on veut être honnête homme jusqu'à la moelle, et mériter l'indulgence du juge futur, en acceptant les sévérités et les humiliations du juge présent.

Et voilà pourquoi je changerais encore sans hésitation si je venais à découvrir que mes opinions actuelles sont des erreurs, et qu'il y a des routes nouvellement découvertes dans lesquelles la marche est plus sûre, le sol plus solide et les vertus sociales plus mûres et plus abondantes pour l'humanité.

XIII

Estil donc étonnant que pensant ainsi et qu'ayant le sentiment, je dirai presque le remords, de quelques erreurs de jugement commises par moi dans l'appréciation des actes et des hommes de la première Révolution française (Histoire des Girondins), estil étonnant, disje, que je relise sévèrement ce livre (qui fut un événement, j'en conviens, et qui vit encore d'une forte vie à l'heure où je parle), et que je présente aujourd'hui le curieux phénomène d'un écrivain critique après avoir été historien, et qui juge à vingt ans de distance, en pleine maturité, le livre écrit par luimême à une autre époque de son siècle et sous d'autres impressions de son esprit? Un seul exemple de cette critique de soimême a été donné en France dans l'opuscule intitulé: Rousseau juge de JeanJacques. Mais si je n'ai pas reçu de la nature le style et l'éloquence de J.J. Rousseau, je n'ai pas reçu non plus sa féroce personnalité; et si le lecteur a quelque excès à craindre de ma plume dans ce jugement sur moimême, ce n'est pas, à coup sûr, l'excès d'orgueil; ce serait plutôt l'excès de sévérité. La vie m'a appris à être modeste, et les événements publics, comme les événements privés, qui m'ont écrasé sans m'aplatir, ne me laissent de mes œuvres ou de mes actes qu'une fière humiliation devant les hommes et une humble humilité devant Dieu.

L'humiliation, c'est la peine; l'humilité, c'est la leçon!

XIV

Or, quel était l'état des choses en France, et quelles étaient mes propres dispositions d'esprit en 1846, quand j'écrivis cette histoire?

L'esprit de la France était trèstroublé, trèspeu propre par conséquent à jeter un regard d'ensemble et surtout un regard impartial sur la Révolution française, trèspeu propre aussi à porter un jugement sain et définitif sur les hommes qui avaient été, en bien ou en mal, les grands acteurs de cette révolution.

M. Thiers, dont on ne m'accusera pas de dénigrer les grandes œuvres historiques (voyez mes Entretiens sur l'Histoire de l'Empire, que j'ai appelée, le premier, le livre du siècle), M. Thiers n'était pas encore ce qu'il est; l'âge et la vie publique pleine de bon sens, de fautes expiées, de leçons terribles, n'avaient pas donné encore à son esprit ce sens de la moralité ou de l'immoralité des événements et des caractères qui est la vertu de l'histoire. Il écrivait au point de vue du succès, non au point de vue de la morale. Il venait d'écrire ainsi sans profondeur, sans philosophie, sans justice, une histoire de la Révolution qui n'était qu'une adulation à la Révolution ellemême. On avait fait à ce livre, trèssuperficiel selon moi, une vogue de circonstance et une popularité de parti. Plus j'ai étudié les faits, les hommes, les événements de la Révolution française, plus ce livre a baissé dans mon esprit; mais habent sua fata libelli. Cette histoire amnistiait les erreurs, les tyrannies, les sévices même de la Révolution; elle faisait remonter la colère et le mépris de la nation jusque sur les victimes. Son mérite était précisément d'être fausse. Il fallait des passions et non des principes à la démocratie; elle avait trouvé un jeune homme de talent, elle lui dit: «Fais mon portrait, mais flattemoi, et défigure mes ennemis, je te nommerai peintre du peuple.»

Du côté opposé, les historiens de la Révolution dans le parti royaliste, religieux, aristocratique, n'avaient écrit sous le nom d'histoire que le martyrologe des victimes de 1791 à 1794; ils avaient barbouillé de sang tous les principes les plus saints et les plus innocents de la philosophie révolutionnaire du dixhuitième siècle. Parce que Danton, Marat, Robespierre, avaient été des meurtriers, il semblait, à les lire, que la liberté modérée, l'égalité devant la loi, la tolérance devant Dieu, la représentation de toutes les classes, de tous les droits, de tous les intérêts devant les institutions, étaient des délires ou des crimes. De telles histoires, pamphlets de la démocratie ou pamphlets de l'aristocratie, n'étaient propres qu'à éterniser la guerre civile des esprits entre les enfants d'un même peuple.

XV

Une grande histoire est un grand jugement dans ces procès d'opinions. Ce jugement manquait à la France; c'était une bonne œuvre que d'essayer de le porter selon mes faibles forces. J'y pensais depuis longtemps. J'avais deux mobiles.

Le premier, tout moral, c'était de démontrer historiquement au peuple, et surtout aux hommes d'État, que le crime politique, populaire, démocratique ou aristocratique, déshonorait ou perdait fatalement toutes les causes qui croyaient pouvoir se servir pour leur succès de cette arme à deux tranchants;

Que la Providence était aussi logique que la conscience;

Que les événements ne pardonnaient pas plus que Dieu l'emploi des moyens criminels, même pour les causes les plus légitimes, et qu'en commentant avec clairvoyance la Révolution française, le plus vaste et le plus confus des événements modernes, on trouverait toujours infailliblement un excès pour cause d'un revers, et un crime pour cause d'une catastrophe.

En un mot, je voulais, comme le veut la Providence, que l'histoire fût un cours de morale et que l'honnêteté des moyens fût la légitimité des innovations.

Un tel livre eût été le code en action de la politique; mais il fallait une main divine pour l'écrire: je n'étais qu'un homme de bonne volonté.

Le second mobile qui me sollicitait intérieurement à écrire cette histoire à la fois dramatique et critique de la Révolution française, était, je l'avoue, un mobile humain, une ambition d'artiste, une soif de gloire d'écrivain toute semblable à la pensée d'un peintre qui entreprend une page historique ou un portrait, et qui n'a pas pour objet seulement de faire ressemblant, mais de faire beau, afin que dans le tableau ou dans le portrait on ne voie pas uniquement l'intérêt du sujet, mais qu'on voie aussi le génie du pinceau et la gloire du peintre. Ici, je m'excuse, et il faut m'excuser: Homo sum.

XVI

Bien jeune encore et lorsque mes premiers succès littéraires m'avaient donné le pressentiment d'une carrière aussi complète, que mes modestes facultés d'amateur plutôt que d'artiste me permettaient de former un plan de vie plus ou moins illustre, je m'étais dit et j'avais dit bien souvent à mes amis de jeunesse: «Si Dieu me seconde, j'emploierai les années qu'il daignera m'accorder à trois grandes choses qui sont, selon moi, les trois missions de l'homme d'élite icibas.» (J'aurais dû dire les trois vanités, maintenant que toutes ces vanités sont mortes en moi et que je les expie par autant d'humiliations sur la terre, afin qu'elles me soient pardonnées làhaut.)

«J'emploierai donc, disaisje à ces amis, ma première jeunesse à la poésie, cette rosée de l'aurore au lever d'un sentiment dans l'âme matinale; je ferai des vers, parce que les vers, langue indécise entre ciel et terre, moitié songe moitié réalité, moitié musique moitié pensée, sont l'idiome de l'espérance qui colore le matin de la vie, de l'amour qui enivre, du bonheur qui enchante, de la douleur qui pleure, de l'enthousiasme qui prie.

«Quand j'aurai chanté en moimême et pour quelques âmes musicales comme la mienne, qui évaporent ainsi le tropplein de leur calice avant l'heure des grands soleils, je passerai ma plume rêveuse à d'autres plus jeunes et plus véritablement doués que moi; je chercherai dans les événements passés ou contemporains un sujet d'histoire, le plus vaste, le plus philosophique, le plus dramatique, le plus tragique de tous les sujets que je pourrai trouver dans le temps, et j'écrirai en prose, plus solide et plus usuelle, cette histoire, dans le style qui se rapprochera le plus, selon mes forces, du style métallique, nerveux, profond, pittoresque, palpitant de sensibilité, plein de sens, éclatant d'images, palpable de relief, sobre mais chaud de couleurs, jamais déclamatoire et toujours pensé; autant dire, si je le peux, dans le style de Tacite; de Tacite, ce philosophe, ce poëte, ce sculpteur, ce peintre, cet homme d'État des historiens, homme plus grand que l'homme, toujours au niveau de ce qu'il raconte, toujours supérieur à ce qu'il juge, portevoix de la Providence qui n'affaiblit pas l'accent de la conscience dont il est l'organe, qui ne laisse aucune vertu audessus de son admiration, aucun forfait audessous de sa colère; Tacite, le grand justicier du monde romain, qui supplée seul la vengeance des dieux, quand cette justice dort!

«Quand j'aurai écrit ce livre d'histoire, complément de ma célébrité littéraire de jeunesse, si j'ai le hasard de conquérir cette double célébrité du poëte et de l'historien, je jetterai de nouveau la plume, la plume, après tout, hochet du talent, instrument trop insuffisant et trop spéculatif de la pensée; la plume, qui n'est rien devant l'épée. J'entrerai résolûment dans l'action, et je consacrerai les années de ma maturité à la guerre, véritable vocation de ma nature, qui aime à jouer, avec la mort et la gloire, ces grandes parties dont les vaincus sont des victimes, dont les vainqueurs sont des héros.

«Et si la guerre, que je préfère à tout, me manque, je monterai aux tribunes, ces champs de bataille de l'esprit humain où l'on ne meurt pas moins de ses blessures au cœur que l'on ne meurt ailleurs du feu et du fer; et je tâcherai de me munir, quoique tardivement, d'éloquence, cette action parlée qui confond dans Démosthène, dans Cicéron, dans Mirabeau, dans Vergniaud, dans Chatham, la littérature et la politique, l'homme du discours et l'homme d'État, deux immortalités en une.

«Enfin, s'il m'est accordé de survivre aux révolutions, aux guerres civiles, aux poignards des sicaires, des Catilina, des Clodius, des Octave, des Antoine de mon temps, et de vieillir couché sur mes propres décombres, brisé de cœur, mais sain d'esprit, j'emploierai ces dernières années de grâce à l'œuvre finale de toute intelligence, à la contemplation et l'invocation de mon Créateur; je ferai, comme Cicéron, le livre éternellement à faire, De natura deorum; je mêlerai mon grain d'encens à l'encens des siècles.»

XVII

Voilà quels étaient mes plans de jeunesse.

Ce n'étaient pas les plans de Dieu.

L'orgueil y avait trop de part pour qu'ils fussent ratifiés par ce que les anciens nommaient la destinée, et par cette puissance incorruptible que nous nommons Providence.

Tout a tourné autrement que je ne l'avais orgueilleusement conçu dans mes puériles ambitions d'avenir. En poésie, je n'ai été qu'une main novice qui fait rendre par un attouchement léger quelques accords à un instrument à cordes dont le doigté n'est pas une vraie science, mais une inhabile improvisation de l'âme.

En ambition militaire, l'occasion m'a manqué; j'ai vécu dans un temps de paix; il n'y avait guerre que d'idées.

En éloquence politique, je suis arrivé trop tard aux tribunes dites parlementaires, pour développer les forces réelles de l'éloquence raisonnée et passionnée que je sentais véritablement rugir en moi comme des lions muselés entre les barreaux d'une ménagerie.

De plus, ma fausse situation dans les chambres de 1830 à 1848 ne me laissait pas la liberté de mes mouvements; je n'étais d'aucun parti actif, et, par conséquent, j'étais en suspicion légitime à tous les partis.

L'éclectisme, qui est l'attitude de la vérité dans les philosophes, est la faiblesse des hommes d'État dans les temps de passion.

Sorti de la Restauration avec d'amers regrets de sa chute, adversaire de cœur de la royauté de 1830, ennemi trop honnête cependant pour m'allier avec les factions, ou légitimistes, ou révolutionnaires, qui conspiraient la ruine de cette royauté sans avoir à offrir à sa place qu'une anarchie au pays, je vivais dans le vague et je parlais sans échos. La tribune n'était véritablement pour moi qu'un exercice semblable à celui de Démosthène sur le bord de la mer. Il parlait aux flots qui étouffaient sa voix, et moi aux partis qui cherchaient à étouffer la mienne. La France seule en entendait quelques retentissements dans les journaux indépendants, et voyait croître autour de mon nom une lente popularité qui devait lui être utile un jour.

XVIII

Mon action politique ne commença que dans une grande tempête imprévue, le jour même d'une chute soudaine de la royauté de Juillet, déjà en fuite avant d'avoir eu le temps de combattre.

Ce jourlà je fus roi d'une heure, c'est vrai. Placé, par mon indépendance des partis, entre tous les partis, les républicains se jetèrent à moi par inquiétude de leur triomphe; les royalistes, par peur de leur défaite; les légitimistes, par le sentiment de leur inopportunité et de leur impuissance dans cet anéantissement du trône; le peuple surtout, par l'intérêt de salut public et par ce besoin d'un chef qui parle plus haut que toutes les théories dans les périls extrêmes des tremblements de tous les foyers.

Ce n'était pas un gouvernement qu'il fallait créer à la minute, il n'en aurait pas duré deux. C'était un sauvetage qu'il fallait organiser sous le nom de république. J'eus le sentiment de cette vérité.

Au lieu de suivre en hésitant un mouvement désordonné qui allait mener de convulsions en convulsions désormais irrésistibles aux derniers abîmes, je fis résolument la république; je la fis seul, quoi qu'on vous en dise; j'en assume seul la responsabilité; je nommai seul les chefs les plus en vue et les plus populaires qui pouvaient lui apporter l'autorité des différentes factions auxquelles ils appartenaient; je me nommai moimême, parce que je n'appartenais à aucune, et parce que, soutenu par le peuple, seul je pouvais être arbitre dans ce conseil souverain du gouvernement. La France fut admirable de sagesse et d'héroïsme, on ne le dira jamais assez. Folle la veille, lâche le lendemain, elle fut pendant les quatre mois du danger au niveau d'ellemême; la république, contre laquelle elle vocifère tant depuis, fut son salut. Un homme d'État renversé, mais qui s'éleva luimême en ce moment à la hauteur d'un vrai patriotisme, M. Thiers, en trouva sur l'heure la vraie formule. «Gardons la république, car c'est le gouvernement qui nous divise le moins.» C'est la pensée que j'avais exprimée autrement en entrant le jour même à l'hôtel de ville, ces Tuileries du peuple.

XIX

M. Dupin, dans un volume récent, renouvelle encore contre moi cette accusation irréfléchie de n'avoir pas proclamé la régence, la régence d'une femme intéressante sans doute, mais d'une femme exclue du gouvernement par la loi que le parti d'Orléans venait de se faire à luimême; régence aussi illégale par conséquent que la république, une régence déjà tombée dans la rue et ramenée, à travers la révolution et l'armée immobiles, à la porte d'une Chambre dissoute de fait.

Et au nom de quoi auraisje proclamé cette régence des Orléanistes, moi qui n'avais jamais voulu adhérer au gouvernement, schisme de famille, de 1830; moi qui lui avais renvoyé toutes mes places diplomatiques pour ne pas le servir; moi qui m'étais respectueusement refusé à tout rapport avec cette royauté, par scrupule de fidélité à mes souvenirs! En vérité, M. Dupin et les Orléanistes auraient bien ri, le lendemain, d'un légitimiste de cœur refaisant après coup une seconde révolution de 1830, et réinstallant une seconde monarchie d'Orléans, pour l'attaquer le surlendemain!

Et quand j'aurais tenté ce contresens à moimême, l'auraisje pu accomplir avec l'ombre de succès un peu durable? Où étaient le peuple, l'armée, les chambres, les ministres, pour sanctionner et soutenir cette régence de hasard sortie d'une insurrection contre la royauté de Juillet, aventure dans une aventure, illégalité dans une illégalité, révolution de 1830 dans une révolution de 1830, bellefille contre le beaupère, petitfils contre l'aïeul, bellesœur contre le beaufrère, neveu contre les oncles, chaos dans un chaos!

Et puisque M. Dupin et les révolutionnaires orléanistes de 1830 pensent qu'une régence était si facile et si simple à faire, et à faire durer huit jours seulement, que ne la faisaientils euxmêmes? Qui les gênait?

Certes, c'était à eux, orléanistes, et non à moi, adversaire de la royauté illégitime d'Orléans, de se charger de ce rôle; logique en eux, il était absurde en moi. M. Dupin n'y a pas pensé. Si l'empire qu'il sert aujourd'hui, comme il a servi la légitimité, la royauté de juillet, la république, avec un zèle qui ne faiblit jamais et avec un talent qui grandit toujours; si, disje, l'empire venait à chanceler dans une journée de février quelconque, que penserait M. Dupin d'un républicain, d'un légitimiste, d'un orléaniste qui viendrait sur le champ de mort de l'empire écroulé, quoi faire? Proclamer un empire de branche cadette et factieuse? cela ne serait pas moins ridicule que le rôle que M. Dupin et ses amis me reprochent de n'avoir pas pris le 24 février! En vérité, si je l'avais pris, ce rôle, je ne saurais pas aujourd'hui où cacher ma honte. Il faut respecter et protéger le malheur d'une dynastie qui s'écroule sur son faux principe, c'est ce que nous avons fait; mais il ne faut pas relever un faux principe tombé pour servir de base au trône d'une veuve qu'on admire et d'un enfant qu'on plaint. Une veuve n'a pas besoin d'une régence pour se consoler d'un sépulcre, et un enfant, pour être heureux, n'a pas besoin pour hochet d'un sceptre dérobé à un aïeul dans l'escamotage d'une demirévolution.

XX

Telles étaient, dès l'année 1844, mes dispositions d'esprit à l'égard de la royauté pseudorépublicaine et pseudodynastique de la famille d'Orléans. Je l'aurais vénérée partout ailleurs que sur un trône; par tradition de famille, du côté de ma mère, je lui devais plus que du respect, je lui devais de la reconnaissance. Cette auguste maison avait eu des patronages, des bienveillances, des générosités princières pour ma famille maternelle. La mère de ma mère était sousgouvernante de ces enfants, des princes du sang et de la fille du vénérable duc de Penthièvre. Le roi LouisPhilippe et ses frères avaient été, avant l'époque de madame de Genlis, élevés par ma grand'mère; un de mes proches parents était son intendant des finances. Après la terreur, la duchesse d'Orléans, reléguée en Espagne, avait prié ma grand'mère d'aller chercher madame Adélaïde d'Orléans, sa fille, en Suisse, et de la lui ramener en Espagne. La mission de confiance avait été remplie. Après 1814, ma mère avait retrouvé dans LouisPhilippe et dans madame Adélaïde, sa sœur, des souvenirs d'enfance et d'éducation communs qui les disposaient à toutes les bontés pour la fille de leur gouvernante. J'avais l'honneur d'en être reçu avec distinction dans mon adolescence. La protection du prince et de sa sœur ne me fut néanmoins d'aucun secours, soit dans la carrière littéraire, où l'on n'est protégé que par son talent, si on en a; soit dans la carrière militaire, où je servais, dans les gardesnobles de Louis XVIII, une cause trèsopposée au parti politique déjà dessiné du duc d'Orléans; soit dans la carrière diplomatique, où je servis fidèlement la politique de la légitimité jusqu'à sa chute. D'ailleurs, mon père, le chevalier de Lamartine, ancien et loyal officier de cavalerie dans le régiment Dauphin au moment de la Révolution, ses frères, royalistes comme lui, quoique constitutionnels de 1789, m'auraient vu avec répugnance devenir le client de la maison d'Orléans. Elle portait à leurs yeux, quoique innocente des antécédents, la responsabilité du prince complice de 1793, puni d'un vote fatal par la hache du même bourreau.

CRITIQUE
DE
L'HISTOIRE DES GIRONDINS.

(DEUXIÈME PARTIE.)

I

Toutes ces alliances de partis antipathiques, toutes ces audaces de défection dans les favoris de la couronne, toutes ces pressions déloyales sur la royauté que chacun voulait dominer sous prétexte de la servir, toutes ces trahisons après la victoire, toutes ces faiblesses du parlement devant les passions des hommes qui l'ameutaient pour le compromettre dans leurs brigues, toutes ces simonies de l'intérêt public devant les cupidités individuelles du pouvoir, toutes ces agitations sans but, qui faisaient bouillonner sans cesse la France et qui la remplissaient de haines, de factions, de passions, au lieu de la calmer et de l'occuper de ses intérêts urgents et permanents, me dégoûtaient prodigieusement, je l'avoue, de ce qu'on appelle le régime parlementaire.

Si c'était pour arriver à ce gouvernement de vaines paroles et d'odieuses intrigues qu'on avait traversé la mer de sang de 1793, le carnage militaire de quinze ans d'empire, la réaction armée de l'Europe contre la France en 1814, le retour du despotisme soldatesque de l'île d'Elbe en 1815, l'expulsion de trois dynasties en un jour de 1830 et les dix ans de dynastie agitatrice en 1840; en vérité, le résultat de tant d'efforts pour arriver à diviser la France en deux camps, comme les verts et les bleus du BasEmpire à Constantinople, entre des ministres, racoleurs de factions, coureurs de majorité au but des portefeuilles dans le stade de la rue de Bourgogne à Paris, en vérité, me disaisje, ce résultat de tant d'événements n'en vaut ni le temps perdu, ni le sang versé, ni la grande émotion des esprits en 1789 par la pensée du dixhuitième siècle, ni la grande convulsion de la Révolution française en 1791. Il faut que le vrai sens de cette révolution ait été perdu en route et dans son histoire. Ne seraitil pas possible de retrouver ce sens vrai de la Révolution française en remontant à son origine et à ses premiers organes, d'en dégager la juste signification des passions et des crimes à travers lesquels elle a perdu son caractère et son but, et de rappeler ainsi la France de 1840 à la philosophie sociale et politique dont elle fut l'apôtre et la victime pour devenir, quoi? l'enjeu de quelques rhéteurs au jeu stérile de la tribune et des feuilles publiques jetées tous les matins au feu des animosités civiles, pour alimenter les vaines factions de cour et de rue qui ne produisent que fumée ou lueurs sinistres dans l'esprit des masses découragées? Un siècle atil été donné aux hommes si intelligents et si énergiques de notre patrie pour en faire un si misérable usage? Je touche à peine à ma pleine maturité; j'ai vu de mes yeux d'enfant la première république sans la comprendre et sans me souvenir d'autre chose que des sanglots qu'elle faisait retentir dans les familles décimées par les prisons ou les échafauds; j'ai vu l'empire sans entendre autre chose que les pas des armées allant se faire mitrailler sur tous les champs de bataille de l'Europe, et les chants de victoire mêlés au deuil de toutes ces familles du peuple qui payaient ces victoires du sang prodigué de leurs enfants; j'ai vu l'Europe armée venir deux fois, sur les traces de nos armées envahissantes, envahir à son tour notre capitale; j'ai vu les Bourbons rentrer avec la paix humiliante mais nécessaire à Paris et y retrouver la guerre des partis contre eux au lieu de la guerre étrangère éteinte sous leurs pas; j'ai vu Louis XVIII tenter la réconciliation générale, dans le contrat de sa charte entre la monarchie et la liberté; je l'ai vu manœuvrer avec longanimité et sagesse au milieu de ces tempêtes de parlement et d'élection qui ne lui pardonnaient qu'à la condition de mourir; j'ai vu Charles X, pourchassé par la meute des partis parlementaires, ne trouver de refuge que dans un coup d'État désespéré qui fut à la fois sa faute et sa punition.

Je vois maintenant un prince révolutionnaire demander grâce tour à tour aux royalistes d'être un fils de la Convention, aux républicains d'être un roi sur un trône, aux étrangers d'être l'élu d'une insurrection, aux bonapartistes d'être un Bourbon, à la démocratie d'être un petitneveu de Louis XIV, à l'aristocratie d'être l'élu d'une démocratie; je le vois forcé de faire effacer ses armoiries sur les portes de son palais, comme un crime de sa naissance envers un peuple qui ne veut plus d'ancêtres; forcé de donner à sa nièce, dans les cachots de Blaye, la question de la pudeur sacrée de la femme, de constater le flagrant délit de son sexe pour déconsidérer, pardevant témoins, ses partisans; supplice que l'antiquité n'avait pas inventé et qu'un parti acharné contre la royauté exige d'elle comme une concession à l'ignobilité de sa haine. Je le vois chercher à tâtons ses ministres parmi les complices de son avénement en 1830, et ne trouver en eux que des dévouements conditionnels, des intelligences avec ses ennemis dans le parlement ou dans la presse. Et enfin je vois des transfuges du pouvoir de 1830, à la tête de toutes les colonnes d'opposition, fomenter dans toute la France une agitation fiévreuse qui commence par des banquets et qui finira inévitablement par des séditions. Estce là le gouvernement parlementaire? ou n'estce pas plutôt une petite anarchie d'ŒildeBœuf, qui joue aux révolutions de salle à manger, les fenêtres ouvertes, et qui finira par appeler le peuple à faire invasion dans les festins, à renverser les tables et à remplacer les convives? Ces saturnales d'opposition coalisée à table me répugnaient par leur mauvaise foi comme par leur danger, et je me refusai énergiquement à y prendre part. Je dis hautement les motifs de mon abstention dans une lettre aux journaux qui sera réimprimée dans ce recueil. On verra que je ne m'enrôlai jamais alors, quoi qu'on en ait dit depuis, dans les rangs de cette coalition malséante qui voulait secouer tout sans rien remplacer.

II

Mais les scandales de ce gouvernement inexpérimenté, qu'on appelait le gouvernement parlementaire, me convainquirent que le pouvoir vraiment national et populaire n'était plus là; qu'aucune des dynasties rivales tombées, retombées, retombant encore, ne pouvait le reconstituer solidement en elle; que l'aristocratie y avait renoncé implicitement en donnant un mandat d'éloquence, une procuration d'opinion, au lieu de combattre de sa personne dans ces compétitions d'influence, de popularité et de trône; que cette classe moyenne exclusive, intéressée, adulée, à qui ses exploitateurs recommandaient de s'adjuger à ellemême le nom et les prétentions d'une aristocratie de second étage, n'était ni assez antique, ni assez enracinée, ni assez large, ni assez populaire, pour affecter le privilége d'un gouvernement national; qu'elle n'avait rien de permanent, de chevaleresque, de prestigieux, excepté ses industries et ses commerces, aussi mobiles que ses convoitises de monopoles financiers: jalouse en haut, jalousée en bas, menaçante et menacée de toutes parts; que le dernier mot de la Révolution française ne pouvait être cette petite oligarchie groupée par la peur et par l'orgueil autour d'un roi d'expédient; que cela allait crouler aux premières lueurs de l'incendie parlementaire allumé par ceuxlà même qui l'avaient si mal éteint en 1830; qu'il fallait pourvoir d'avance aux catastrophes inévitables de ce gouvernement déjà démoli dans l'opinion des masses, en donnant à ces masses envahissantes une histoire vraie de la Révolution qu'elles auraient bientôt à reprendre en sousœuvre, afin qu'elles ne s'égarassent pas de nouveau sans plan et sans sagesse dans les démences et dans les crimes qui avaient perdu jusqu'au nom de cette Révolution.

«Il faut, disje à mes amis, confidents de ma pensée, il faut écrire pour ce peuple, dans une histoire impartiale, morale et pathétique à la fois, le commentaire vivant de sa première révolution, un Machiavel français, non dans l'esprit du Machiavel italien, mais dans l'esprit d'un Tacite moderne; il faut prouver, par tous les faits de cette révolution, qu'en histoire, comme en morale, chaque crime, même heureux un jour, est suivi le lendemain d'une véritable expiation; que les peuples, comme les individus, sont tenus de faire honnêtement les choses honnêtes; que le but ne justifie pas les moyens, comme le prétendent les scélérats de théorie ou les fanatiques de liberté illimitée et de démagogie populacière; que les plus justes principes périssent par l'iniquité des actes; que la conscience ne subit pas d'interrègnes; que la Providence est toujours là pour la venger, et que, si la Révolution de 1793 a noyé les plus belles pensées philosophiques dans le sang, c'est qu'elle est tombée des lèvres des philosophes dans les mains des tribuns, et des mains des tribuns dans les mains des Sylla et des César, lavant le sang dans le sang, et restaurant facilement la tyrannie, que les sociétés préfèrent justement aux crimes. Une histoire écrite dans cet esprit sera pour le peuple une haute leçon de moralité révolutionnaire, utile à l'instruire et à le contenir la veille d'une prochaine révolution.»

Voilà le but moral que je me proposais en pensant d'avance à ce commentaire en action du crime et de la vertu dans la politique populaire. Je voulais faire un code en action de la république future, si, comme je n'en doutais déjà plus guère, une république, au moins temporaire, devait recevoir prochainement de la nation et de la société françaises le mandat de la nécessité, le devoir de sauver la patrie après l'écroulement de sa monarchie d'expédient sur la tête de ses auteurs; que la prochaine république fût au moins girondine au lieu d'être jacobine.

Voilà toute la pensée de mon livre!

III

J'avoue qu'un sentiment plus vain, un mobile profane de gloire personnelle, se mêlait dans ma pensée à ce sentiment tout moral de préparer les masses à répudier les immoralités, les iniquités, les crimes, la guerre même, qui avaient souillé le nom du peuple dans la première république. Ce sentiment était purement littéraire.

Je voulais essayer mon talent, encore douteux pour moimême, dans une grande œuvre en prose; l'histoire me paraissait et me paraît encore la première des tragédies, le plus difficile des drames, le chefd'œuvre de l'intelligence humaine, la poésie du vrai. Je voulais être, si cela m'était possible, le dramaturge du plus vaste événement des temps modernes, le Thucydide d'une autre Athènes, le Tacite d'une autre Rome, le Machiavel d'une autre Italie: je m'en sentais imaginairement la force en moi; le lyrisme pieux et élégiaque de ma première jeunesse s'était promptement transformé en moi, comme autrefois dans Solon, en une vigueur de réflexion politique qui me passionnait pour les sujets historiques plus que pour les poëmes du cœur et de la pensée. Mes fleurs tombaient et je croyais les sentir remplacées par des fruits d'intelligence. Je me trompais; mais l'orgueil n'excusetil pas un peu en nous ces flatteries involontaires de l'imagination? On se croit capable de ce qu'on rêve, et ce que je rêvais n'étaitil pas en effet le plus beau drame historique des temps connus? La France ellemême, actrice et théâtre de ce grand drame, n'avaitelle pas rêvé plus beau qu'elle?

Une grande pensée, un code de la raison, saisit un peuple intelligent, enthousiaste, aventureux, la France.

Il s'agit de la rénovation presque complète du monde religieux, moral et politique.

Balayer de la scène le moyen âge et installer à sa place un âge de justice, de logique, de vérité, de liberté, de fraternité, conçu d'une seule pièce et jeté d'un seul jet;

En religion, conserver la belle morale et la sainte piété chrétienne, en détrônant les intolérances;

En politique, supprimer les féodalités oppressives des peuples, pour les admettre aux droits de famille nationale, et leur laisser la faculté de grandir au niveau de leur droit, de leur travail, de leur activité libre;

En législation, supprimer les priviléges iniques pour inaugurer les lois communes à tous et à tous utiles;

En magistrature, remplacer l'hérédité, principe accidentel et brutal d'autorité, par la capacité, principe intelligent, moral et rationnel;

En autorité législative, remplacer la volonté d'un seul par la délibération publique des supériorités élues, représentant les lumières et les intérêts généraux du peuple tout entier;

Enfin, en pouvoir exécutif, respecter la monarchie, exception unique à la loi de capacité, pour représenter la durée éternelle d'une autorité sans rivale, sans éclipse, sans interrègne; honorer cette majesté à perpétuité de la nation, mais la désarmer de tout arbitraire, et n'en faire que la majestueuse personnification de la perpétuité du peuple: voilà la véritable Révolution française, voilà le plan des architectes sages et éloquents des deux siècles.

IV

Ces dogmes, à peine contredits par quelques intéressés des classes théocratiques et des classes aristocratiques en bien petit nombre, sont acclamés comme une révélation aux états généraux, en présence d'un roi qui les applaudit luimême généreusement après les avoir provoqués. Les priviléges se nivellent d'euxmêmes, la tolérance des cultes fait justice à toutes les consciences, les grands se sacrifient, le peuple s'exalte, les vérités encore en théorie pleuvent de chaque bouche au milieu d'une ivresse qui semble unanime; on dirait l'explosion d'une révélation civile, éclatant de son propre éclat dans toutes les âmes et pulvérisant d'évidence tous les obstacles à la réformation des institutions du moyen âge.

Mais à des vérités si neuves il faut un monde neuf aussi pour les accueillir et pour s'y conformer sans hésitation, sans froissement, sans partialité, sans récrimination dans les dépossédés de l'erreur, sans excès et sans violence dans les nouveaux venus à la liberté.

Ici les passions descendent dans la lice à la place des théories. Le roi, modérateur bien intentionné de la révolution, est méconnu par les uns et par les autres dans ses actes et dans ses intentions; les grands lui reprochent sa faiblesse pour les novateurs, les novateurs sa partialité pour les grands; le peuple l'enveloppe de ses soupçons, bientôt de ses menaces, puis de ses fureurs. Le prince appelle ses troupes pour défendre le peu de majesté royale qui lui reste; le peuple irrité corrompt les troupes et donne de nouveaux assauts au roi jusque dans son palais.

Un dictateur de popularité s'élève sur le flot mouvant de cette multitude d'une capitale. Ce dictateur subit luimême toutes les lois de cette multitude au lieu d'en dicter; sa présence légalise toutes les violences du peuple envers la cour; caressant envers le peuple, poli avec le roi. Ce prince arraché à son palais de Versailles devient le triomphe de la captivité royale. Les Tuileries deviennent la prison décente de la royauté. Le roi tente de s'échapper, on l'y ramène; La Fayette ne peut plus être que le geôlier national de la couronne.

Cette royauté suspendue sur la tête du roi passe à l'Assemblée constituante; une constitution règne métaphysiquement à sa place; l'Assemblée constituante rend un trône presque aboli à ce fantôme de roi captif.

Louis XVI déteste la constitution et l'observe cependant, pour convaincre la nation de son impraticabilité, et pour la faire réviser par ceux mêmes qui l'ont faite. Tout le royaume est en feu, sans roi, sans loi, sans répression possible des désordres d'une anarchie.

La guerre étrangère paraît une heureuse diversion aux hommes d'État; on impute au roi ses premiers revers. Une seconde Assemblée est nommée par la France sous l'empire de la terreur et de la fureur. Tous les hommes éminents et sages de l'Assemblée constituante en sont malheureusement exclus par une volontaire abdication de leur mandat. Mirabeau luimême, s'il eût encore vécu, n'aurait pu siéger dans le conseil de la Révolution épuré de tous ses talents.

Les hommes secondaires n'apportent dans cette Assemblée que des mandats de violence; ils assiégent le roi d'exigences et d'humiliations. Le club des Jacobins règne par ses tribuns sur le peuple; le peuple règne par ses agitateurs à l'hôtel de ville dans la commune de Paris. Les Girondins, au ministère et dans l'Assemblée, pèsent tantôt sur l'Assemblée par leur éloquence, tantôt sur le roi par leur popularité; ils essayent le rôle de modérateurs de la Révolution. Les Jacobins et la commune soulèvent contre eux la multitude.

Moitié complices, moitié contraints, les Girondins cèdent, le 20 juin et le 10 août, aux grandes séditions où le trône tombe sous leurs yeux. Ils proclament complaisamment la déchéance et la captivité du roi qu'ils auraient voulu conserver pour personnifier en lui un ordre légal. Une Convention nationale, formée de tous les partis extrêmes, est appelée à leur place par le tocsin du 10 août; des tribuns forcenés de la commune de Paris veulent les intimider par les massacres de septembre. Les Girondins rejettent cette fois avec horreur et indignation ce sang des assassinats dont ils ne veulent à aucun prix leur part. Danton leur offre encore la paix, s'ils consentent à ne plus reprocher ces forfaits à leurs auteurs. Vergniaud noblement refuse d'amnistier jamais le crime. On leur pose alors, pour les embarrasser, la terrible question du jugement et du supplice du roi. Complices s'ils acceptent, suspects de royauté s'ils refusent, ils commencent par refuser; ils préparent par des discours sublimes la défense du roi menacé, puis ils cèdent, non par lâcheté, mais par une trèsfausse et trèscriminelle politique de parti, qui croit sauver des milliers de têtes en en concédant une à la république.

Cette tête auguste et innocente livrée entraîne leurs propres têtes. On les immole coupables, au lieu de les immoler vertueux. La terreur règne deux ans sur leurs cadavres; c'est une de ces périodes de la vie d'un peuple sur lesquelles aucun voile, jeté comme un linceul, ne peut cacher le sang des milliers de victimes. Les bourreaux euxmêmes finissent de tuer, non par remords, mais par lassitude. Le crime aussi a ses défaillances.

Robespierre, qui a eu le fatal honneur de donner son nom à cette sinistre époque, est choisi par ses complices pour couvrir de son nom les holocaustes et les responsabilités de tous. Il tombe par la main de tous et paye pour tous au 9 thermidor et devant la postérité.

L'opinion, légère, inique et intéressée, amnistie ses complices et ses adulateurs. La Révolution, enivrée de ce sang comme une bacchante, ne sait plus ce qu'elle veut ni ce qu'elle fait. Elle marche au hasard à sa propre destruction et passe des bourreaux aux victimes, des intrigants aux idéologues, des idéologues aux soldats, des soldats aux dictateurs, des dictateurs aux despotes. Sa pensée se brouille dans sa tête et la plus grande pensée des siècles aboutit à la guerre et à la servitude. On croit voir les Gracques, les Marins et les Sylla aboutir aux Césars. Paris et Rome se ressemblent; les temps répètent les temps, et la France, pour avoir laissé ses efforts vers la réforme du monde politique dégénérer en convulsions démagogiques, ne se retrouve plus de force pour faire de sa liberté, modérée par la règle, un gouvernement. Entre l'échafaud des tribuns du peuple et les baïonnettes des dictateurs il n'y a plus que le choix du fer immolant ou asservissant les citoyens.

V

Quelle leçon morale et quel sujet pathétique d'histoire par un écrivain qui voulait instruire le peuple en moralisant la liberté!

Je n'hésitai plus à choisir ce drame moderne à ce point central et culminant de la Révolution, où l'on voit encore la beauté des principes et où l'on aperçoit déjà l'horreur des excès. Ce point, c'est l'échafaud des Girondins. J'y montai en esprit, pour prendre de là mon panorama historique.

Rien ne me gênait dans ma situation politique parlementaire soit envers le gouvernement, soit envers l'opposition légitimiste, soit envers l'opposition semirépublicaine. Je recueillais dans cette entière liberté d'esprit le fruit de mon indépendance d'engagement avec tous les pouvoirs et tous les partis. Je pouvais donc dire ce qui me semblait la vérité à tous. Dégagé par la catastrophe de 1830 non de l'affection et des respects que je portais à la royauté des Bourbons légitimes exilés, mais dégagé par la fausse attitude des légitimistes dans la chambre de toute solidarité avec eux, excepté de la solidarité d'origine commune; dégagé de la royauté d'Orléans, dont je ne conspirais pas la chute, mais dont je ne plaignais pas les dangers et les expiations; plus dégagé encore des coalitions anarchiques que les aristocrates, les démocrates, les légitimistes, nouaient dans le parlement, rien ne m'empêchait d'écrire de la Révolution une histoire qui pût froisser, offenser, irriter même par son impartialité toutes ces opinions et profiter au besoin à la moralisation future d'une seconde république que j'entrevoyais dans l'ombre du lointain, comme une dernière ressource du gouvernement en France, après la chute, certaine selon moi, de la royauté d'Orléans.

Je le répète, mes traditions de famille m'avaient fait une seconde nature de mon attachement à la royauté séculaire de la France, aux vertus si mal récompensées de l'honnête Louis XVI, aux malheurs de sa race, à la haute et sage modération de Louis XVIII, ce roi conciliateur de la royauté et de la liberté par la charte, même au caractère chevaleresque de Charles X, tombé dans une faute, mais laissant après lui un enfant de la couronne innocent par son âge du coup d'État qui lui avait enlevé sa patrie.

Cette royauté des expiations étant impossible à rétablir, la royauté des conspirations étant impossible pour moi à aimer et à servir, cette coalition immorale et déloyale dans le parlement étant impossible à honorer, incapable de fonder, capable seulement de détruire, je n'avais plus de devoir et de lien qu'avec la politique abstraite, idéale, personnelle qui pouvait seule à un jour donné recruter, au profit des principes sainement et honnêtement progressifs, les opinions d'un peuple prêt à retomber dans l'anarchie.

Ces principes, qui étaient ceux de la vraie philosophie politique de l'Assemblée constituante, ceux que les Mirabeau, les Barnave, les ClermontTonnerre, les LallyTollendal, les Bailly, les Mounier, les Montmorency, les Cazalès, les Vergniaud, avaient si magnifiquement débattus ou formulés dans leur éloquence de raison, me passionnaient encore à distance et me paraissaient le but dépassé, mais le but idéal de la Révolution, auquel il fallait ramener le peuple par l'opinion avant de l'y ramener un jour par le fait, si les événements échappaient à l'ambitieuse et intrigante faction de la fausse révolution et de la royauté d'expédient de 1830.

Le livre des Girondins était donc à mes yeux non pas un levier pour soulever et précipiter un trône, mais une pierre d'attente pour remplacer un édifice écroulé dans ces éventualités de gouvernements qui seraient appelés par le hasard à remplacer le gouvernement menaçant et menacé de 1830.

La république se présentait sans doute à mon esprit, mais elle s'y présentait comme une possibilité improbable plutôt que comme un but arrêté ou même désirable encore; seulement je voulais, dans le cas où la nation se réfugierait, après le renversement du trône d'Orléans, dans la république, qu'une histoire consciencieusement sévère de la première république eût prémuni le peuple français contre les mauvaises passions, les illusions, les fanatismes, les crimes et les terreurs qui avaient perverti, férocisé et ruiné la première fois le règne du peuple. Je n'avais dans l'esprit aucune des chimères socialistes de Platon, de JeanJacques Rousseau, de Mably, de Robespierre, de SaintJust, qui mènent le peuple droit au crime par la fureur qui succède aux déceptions, et qui tuent bourreaux et victimes par la guerre anticivique de la propriété qui refuse tout et du prolétariat qui anéantit tout.

VI

La révolution vraie, selon moi, ne s'exprimait que par trois principes ou plutôt par trois tendances légitimes, résultat de mes études et de mes réflexions sur la vraie nature et sur les vrais dogmes de la rénovation française.

Ces trois tendances de l'esprit de la nouvelle civilisation inaugurée sur les ruines de la civilisation féodale, étaient cellesci:

Déplacement, mais nullement destruction du principe d'autorité, c'estàdire, au lieu du despotisme des rois, des cours, des sacerdoces dominants, l'autorité raisonnée, mais absolue ensuite et irrésistible de la volonté représentée du peuple tout entier, confiée à un roi héréditaire ou à des autorités électives. En un mot, une autorité trèsconcentrée, trèsforte, trèsobéie, nécessaire à la répression des passions individuelles ou des factions collectives. L'ordre libre, mais l'ordre trèsprédominant sur ce qu'on appelle la liberté. Car l'autorité est la première nécessité de la société; la liberté n'en est que la dignité individuelle.

La seconde de ces tendances, c'est la liberté religieuse, longtemps effacée des constitutions civiles de l'Europe, et devant, selon moi, reprendre sa place naturelle, c'estàdire la première place, dans les indépendances de l'âme et par l'indépendance des cultes desservis par euxmêmes, avec indemnité préalable des établissements et des individus consacrés antérieurement au culte de l'État. C'est la plus difficile des libertés à établir consciencieusement, mais c'est la plus sainte et la plus favorable à l'action religieuse sur les sociétés dont l'âme est toujours une foi libre.

La troisième de ces tendances, c'est la concorde organique entre les classes riches ou pauvres de la société par des institutions qui les rapprochent et qui leur inspirent non cette fraternité déclamatoire et métaphysique qui ne consiste qu'en égalité et en communauté de biens impraticables et contre nature, mais par des actes efficaces de patronage et de clientèle entre la propriété du capital et la propriété du travail, entre le propriétaire et le prolétaire, entre le sol et le bras, propriétés aussi sacrées l'une que l'autre et dont l'une ne peut subsister sans l'autre. Dans ce but, je voulais que les classes laborieuses eussent, par un vote proportionné à leur droit de vivre, une part consultative dans la représentation trop privilégiée des classes propriétaires ou industrielles; je voulais, comme en Angleterre, un impôt de bienfaisance sur le revenu, non pas un impôt progressif qui décime le travail en décimant le capital, mais un impôt proportionnel qui oblige la classe riche à une charité légale qui met du cœur et de la vertu dans les lois.

VII

Toutes ces tendances exigeaient évidemment, pour être graduellement obéies, un élargissement immense du régime électoral, étroit, privilégié, et par conséquent dangereux à un jour donné pour la société ellemême, qui ne vit que de justice et qui meurt toujours de privilége.

Ces lois étaient certainement républicaines dans le sens moral du mot, mais elles n'étaient nullement antimonarchiques dans le sens politique. Les institutions républicainement spiritualistes peuvent avoir une tête monarchique, sans pour cela cesser d'être populaires.

Une fois les idées progressives admises en pratique dans le gouvernement d'une société bien faite, la monarchie peut être avec logique et avec avantage le lien de ce faisceau d'idées.

J'étais loin de le méconnaître. Aussi je ne me déclarai point républicain, mais populaire, et dans un discours prononcé à un banquet célèbre qui me fut donné à Mâcon par les délégués de trois ou quatre provinces réunies (banquet littéraire qu'il ne faut pas confondre avec les banquets politiques organisés par la coalition parlementaire), dans ce discours, disje, qui fit tressaillir la France par la hardiesse des idées et de l'accent, je conclus à dompter la monarchie par la force de l'opinion, et non à la détruire. Ce fut un vigoureux conseil, ce ne fut point une menace. On peut le relire dans mes Œuvres complètes. Les journaux de toutes les nuances en France et en Europe le reproduisirent et lui donnèrent, par leurs commentaires, le retentissement d'une chute anticipée du trône d'Orléans dans les esprits. Ce n'était pas mon intention. Je le rectifiai même dans mon propre département par une lettre énergique contre les banquets parlementaires de la coalition, auxquels je refusai de m'unir.

Mais, libre désormais de tout ménagement envers le ministère de M. Molé, remplacé par un ministère de manœuvre, pris dans la défection d'une partie des coalisés, je montai à la tribune, et pour la première fois je déclarai que j'entrais dans l'opposition.

VIII

L'opposition m'applaudit à outrance; le parti conservateur s'étonna et s'affligea, sans toutefois m'injurier.

Seulement on attribua généralement cette déclaration d'hostilité loyale au gouvernement à la rancune personnelle d'une ambition trompée, qui se venge en renversant ce qu'elle a protégé la veille. Cela était bien faux; car le roi venait pour la seconde fois de me demander une entrevue secrète; j'y avais consenti par pure déférence respectueuse pour nos anciennes relations. Il m'avait tout offert, avec des instances qui rendaient le refus difficile à un cœur touché de ses embarras; j'avais tout refusé. Son principal ministre à cette époque, qui sait mieux que personne une partie de la vérité sur cette entrevue et sur les avances du roi, les a démenties récemment, diton, en les mettant sur le compte de mon imagination. Le roi luimême, du fond de sa tombe, dans ses révélations posthumes, démentira, plus pertinemment que moi, son ministre. Aucun roi n'a tant écrit.

Mais remontons de quelques mois, au moment où, en écrivant les Girondins, je faisais ce discours épique, cette discussion en récit qui devait produire et qui produisit une émotion plus grande et plus durable que cent discours de tribune.

IX

J'ai dit dans quel esprit et dans quelle indépendance complète d'opinion politique j'avais résolu d'écrire cette histoire. Je m'enveloppai, à la campagne entre les sessions et à Paris entre les séances, de tous les documents imprimés, manuscrits, vivants, qui survivaient à cette mémorable époque. Ils étaient nombreux, volumineux, sincères; flattés de ce qu'une main libre cherchait dans leurs portefeuilles ou dans leur mémoire l'impartiale lumière qui ne luit qu'après que les partis sont morts et que les ressentiments sont éteints. J'avais résolu avant tout d'être véridique envers et contre tous, et au besoin envers moimême; je ne négligeai rien pour être bien informé. Quant au style, je ne m'en occupai pas; j'étais sûr que les événements euxmêmes m'inspireraient, malgré mon peu d'habitude de la prose, la clarté, l'ordre, la lumière, le naturel et même la seule éloquence de l'histoire, la sensibilité communicative qui mêle du cœur au récit. J'étais né pathétique; je n'avais qu'à me laisser aller à ma nature. Sentir m'était aisé, savoir était plus difficile; j'y mis tous mes soins.

Voici, entre mille autres, un exemple de l'attention scrupuleuse et infatigable que j'apportai dans mon travail à être intéressant force d'être vrai. Dans tout ce qu'on me contestera sur la véracité des moindres détails de ce long récit en sept volumes, je suis prêt à donner des preuves par témoignages aussi irrécusables que celles que je vais produire en réponse à M. de Cassagnac, qui calomnie innocemment mon exactitude en histoire. La véracité, c'est la probité de l'histoire. Mentir à la postérité, c'est mentir à Dieu; car l'histoire est divine.

X

Un écrivain qui frappe juste, mais qui frappe souvent trop fort, à cause de la vigueur même de son talent, M. de Cassagnac, vient d'écrire à son tour un livre sur les Girondins. Il m'accuse d'avoir non falsifié, mais inventé la fable de la mort et du banquet des Girondins la veille de leur supplice. Ce dernier souper des victimes m'avait paru à moimême si improbable et si dramatique, que j'avais trouvé là à l'histoire un faux air de poëme ou de roman, et que j'avais résolu de le révoquer en doute ou de le réduire aux proportions les plus prosaïques de l'histoire. Cependant, de ce qu'une chose est dramatiquement pittoresque et pathétique il ne s'ensuit pas qu'elle soit fausse. Je voulus m'éclairer consciencieusement avant de la rapporter.

J'avais entendu parler d'un ecclésiastique, nommé l'abbé Lambert, prêtre assermenté, ami de plusieurs Girondins, qui avait communiqué avec eux dans leur prison et assisté à leurs derniers moments jusqu'à l'heure du supplice. Je pris les informations les plus patientes et les plus précises sur cet ecclésiastique et sur ce qu'il était devenu après le 31 mai 1793. J'appris qu'il vivait encore, qu'il s'était réconcilié avec l'Église au temps des rétractations, et qu'il était, depuis longues années, curé de la commune de Bessancourt, dans le département de SeineetOise. Je lui écrivis pour lui demander si les circonstances de sa participation aux événements du 31 mai étaient vraies, et si, dans le cas où ce bruit aurait quelque fondement, il voudrait bien consentir à me recevoir et à me donner sur la mort de ses amis les informations utiles à l'histoire. Il me répondit avec beaucoup de bonté qu'il était étonné que son nom, depuis si longtemps égaré et enseveli dans le coin de terre où il desservait une humble paroisse, fût parvenu jusqu'à moi; que, son âge et ses infirmités l'empêchant de se déplacer luimême, il me recevrait dans son pauvre presbytère et me dirait tout ce que sa mémoire lui rappelait de ces tragiques événements.

Je pris la poste, accompagné d'un jeune homme de Mâcon, devenu depuis mon collègue à l'Assemblée constituante de 1848, que je ne crois pas devoir nommer ici sans son autorisation, mais qui attesterait, je n'en doute pas, ce voyage et cette enquête avec moi à Bessancourt.

XI

Le curé de Bessancourt, encore vert et comme présent à tout ce passé, nous donna tous les renseignements désirés sur les derniers jours, sur les diverses dispositions d'esprit, sur les conversations des condamnés. Nous écrivions les scènes, les portraits, les paroles, à mesure que ses souvenirs, provoqués par nos questions, se retrouvaient et se déroulaient dans la mémoire du vieillard: c'étaient comme les notes du tableau historique et véridique que je me proposais de composer d'ensemble à mon retour. Une journée suffit à peine à recueillir ce témoignage du seul et dernier témoin de ce grand drame. L'interrogatoire du curé de Bessancourt ne fut interrompu que par le déjeuner et le dîner que nous prîmes à sa table frugale. Nous le quittâmes le soir, pleins de reconnaissance pour son accueil et pleins des souvenirs vivants que nous emportions de ses entretiens.

Peu de temps après, je repartis de Paris pour Bessancourt, afin de compléter et d'éclaircir quelques autres circonstances du récit restées obscures dans mon esprit. J'étais accompagné cette fois par un homme de lettres, confident de mes travaux et devenu luimême l'éminent historien d'une autre époque de notre histoire. Sa parole ne me manquerait pas au besoin pour dissiper les doutes de M. de Cassagnac. Ce second voyage de Bessancourt et les renseignements minutieux de l'abbé Lambert complétèrent ma conviction. Je n'eus qu'à rédiger ses témoignages. Il est sans doute possible qu'après un si long laps de temps le curé de Bessancourt ait commis quelques inadvertances de noms, de dates, de détails sur des personnages si nombreux alors dans les prisons et sur leurs rôles respectifs dans ce drame pathétique de leur dernière heure; mais il est impossible à qui a entendu ce modeste et sincère témoin de ces scènes de révoquer en doute sa véracité. Il n'avait jamais songé jusquelà à se faire un mérite de ce hasard qui l'avait lié à cette époque avec les Girondins; il parlait peu; il n'écrivait rien. Je pense qu'il n'aimait pas à reporter la pensée de ses paroissiens sur sa qualité de prêtre assermenté et constitutionnel dans sa jeunesse, et qu'il était plus importuné qu'empressé d'être cité en témoignage sur ces événements qui lui rappelaient une faute d'orthodoxie sacerdotale, expiée depuis par sa rétractation.

Si ces témoignages de la consciencieuse minutie de mes recherches sur les moindres circonstances historiques de mon Histoire des Girondins ne suffisaient pas pour édifier l'écrivain qui m'attribue l'invention de cette prétendue fable, voici à ce sujet une lettre d'un des principaux habitants de Bessancourt, qui m'arrive aujourd'hui, avec l'autorisation de la reproduire:

«Monsieur,

«Je n'ai pas besoin de remonter plus loin dans mes souvenirs pour attester que le vénérable abbé Lambert a été, pendant de longues années (depuis 1816 jusqu'en 1847, année de sa mort), curé de Bessancourt (SeineetOise); que cet ecclésiastique a toujours passé dans la commune pour avoir été l'ami des Girondins et le pieux consolateur de quelquesuns d'entre eux la veille de leur supplice, en 1793; et que vous êtes venu, accompagné d'un de vos amis ou collègues dont le nom m'échappe, passer de longues heures chez M. le curé Lambert dans son presbytère de Bessancourt, pour recueillir personnellement, de la bouche de ce vieillard, tous les détails que vous rapportez dans votre Histoire des Girondins. C'est là, Monsieur, que j'eus l'honneur de vous connaître, d'assister à vos entretiens à la table de M. le curé Lambert, et de vous recevoir dans ma maison de Bessancourt dans l'intervalle de ces entretiens.

«Beaucoup d'habitants du village ont conservé comme moi le souvenir de cette enquête et la certifieraient au besoin.

«Recevez, Monsieur, l'assurance de ma considération la plus distinguée.

«N. Nalin.

«Bessancourt, le 9 juillet 1861.»

XII

Voilà donc quatre témoignages d'hommes encore vivants qui, indépendamment des témoignages écrits, ne laissent aucun doute sur la réalité des scènes solennelles et des paroles mémorables qui précédèrent le supplice des Girondins; sauf ces légendes plus ou moins exactes, plus ou moins amplifiées, qui ne sont point du fait de l'historien, mais du peuple, espèce d'atmosphère ambiante de l'imagination populaire qui enveloppe toujours les grands événements, comme elle enveloppe dans la nature les grands horizons.

Le critique se trompe également en niant l'emprisonnement provisoire, mais assez long, des principaux Girondins dans la prison des Carmes de la rue de Vaugirard avant leur captivité à la Conciergerie. Il se trompe par conséquent en m'attribuant la supposition arbitraire des inscriptions murales des chambres hautes des Carmes aux Girondins détenus dans ces chambres. Je les ai relevées moimême sur ces murs blanchis à la chaux, où sans doute on peut les vérifier encore. Je n'ai donné que comme conjecture vraisemblable, mais nullement certaine, l'attribution de telle de ces inscriptions à tel ou tel de ces prisonniers. Ce n'est point là de l'histoire, mais de la conjecture morale qui n'a aucune valeur positivement historique, mais qui ne fut jamais interdite aux historiens non pour falsifier, mais pour vivifier leur récit.

C'est ce même scrupule de véracité, quelle que fût la peine prise pour en consulter les sources par des voyages ou par des recherches parmi les familles des principaux acteurs du drame révolutionnaire, dont on retrouvera les preuves toutes les fois qu'on voudra, comme M. de Cassagnac, contester l'exactitude de telle ou telle page de l'Histoire des Girondins.

XIII

Indépendamment des documents imprimés ou manuscrits recueillis avec tant de soin et de prodigalité dans l'immense et lumineux recueil de MM. Buchez et Roux, qui a été mon manuel historique, toujours ouvert sur ma table pendant les deux années consacrées par moi à écrire cette histoire, je n'ai pas négligé une seule information verbale possible à obtenir des parents ou des amis des personnages, même odieux, dont j'avais à sonder la vie publique ou la vie intime. C'est en approchant de l'homme témoin des événements qu'on approche le plus près de la vérité des actes et des caractères. L'histoire, qui n'est que surface de loin, n'est véridique que dans l'intimité. L'acteur disparaît, l'homme se révèle, l'histoire devient nue comme la vérité.

C'est ainsi que j'ai approché bien près Danton; Danton, le seul homme d'État de la révolution après Mirabeau, le Jupiter Tonnant de ces orages, le tribun dont on sentait le cœur convulsif palpiter de remords anticipés jusque dans les éclats de voix qui lançaient la peur pour faire fuir les victimes au lieu de les frapper, l'homme qui aurait été le grand factieux des vérités modernes s'il avait eu le courage de ne pas concéder le crime pour arme de la liberté.

La seconde femme de Danton, qu'il avait épousée à l'âge de quinze ans, vivait à l'époque où j'écrivais les Girondins, et vit, je crois, encore aujourd'hui. Elle porte un nom respectable qui cache le nom trop mémorable de son premier mari. Elle fut retrouvée par moi; elle consentit à déchirer en ma faveur le voile de veuve et le linceul de ses jeunes souvenirs; elle m'envoya son fils d'un second lit, jeune homme d'un nom sans tache, d'un rang élevé, d'un cœur filial, d'une conversation aussi discrète qu'instructive. Je connus par lui tous les secrets de nature et d'intimité sur le caractère, sur la vie intérieure, sur les sentiments privés, sur la séparation dernière, sur la mort tragique d'un de ces hommes à deux aspects, terribles au dehors, placables au dedans. C'est sur ce vrai modèle, sorti de l'ombre du rideau du lit conjugal, que j'ai modelé le buste de Danton.

XIV

Aije excusé un seul de ses crimes inexcusables, les massacres de septembre[1] et la concession de la tête du roi au 21 janvier? Non. Atténuer l'horreur du crime, c'est le partager gratuitement; l'excuse même est pire que le crime, car c'est le crime sans la passion qui le fait commettre, c'est le crime à froid.

Mais j'ai fait connaître le vrai coupable, le popularisme jusqu'au sang, et j'ai montré le vrai Danton, noyé dans un forfait dont il se repent, en cherchant vainement à regagner le bord de l'innocence, qu'on ne regagne jamais qu'au ciel, par le repentir et par l'expiation.

C'est ainsi que, voulant restituer à Robespierre son vrai caractère historique de fanatisme systématique et convaincu, d'aberration politique et sociale au commencement et de férocité désespérée à la fin, je recherchai avec soin pendant tout un hiver, à Paris, les moindres fils encore subsistants qui pouvaient se rattacher à cette figure, et dire non la vérité convenue, mais la vérité vraie et occulte sur ce tribun, précipité de sa dictature le 9 thermidor, journée dont Bonaparte, qui avait connu et fréquenté ce tyran du comité de salut public, disait à SainteHélène que: «c'était un procès jugé, mais non instruit.» Mot trèshardi, mais trèsvrai.

XV

J'appris par hasard qu'une des filles du menuisier Duplay, de la rue SaintHonoré, existait encore, sous le nom de madame Lebas, dans la rue de Tournon; qu'elle était la tradition vivante de cette famille qui avait donné à Robespierre une si longue et si intime hospitalité dans son intérieur, depuis son arrivée à Paris, pour siéger à l'Assemblée constituante, jusqu'à sa mort, dans laquelle il avait entraîné Duplay, sa femme et une partie de la famille Duplay.

Je parvins à me faire introduire chez madame Lebas, ce témoin naïf et passionné de vie intime de Robespierre, cette protestation vivante et ardente contre les calomnies (car on calomnie même le crime) des historiens de la Révolution.

Je trouvai dans madame Lebas une femme de la Bible après la dispersion des tribus à Babylone, retirée du commerce des vivants dans le haut étage d'un appartement modique, conversant avec ses souvenirs, entourée des portraits de sa famille décimée au 18 fructidor, de ses sœurs dont Robespierre avait dû épouser la plus belle, de Robespierre luimême dans tous ces costumes élégants dont il s'enorgueillissait de présenter le contraste sur sa personne avec la veste, le bonnet rouge, les sabots, signes sordides, flatteries ignobles des Jacobins à l'égalité et à la misère des populaces. Un magnifique portrait au pastel, de grandeur naturelle, de SaintJust, ce Barbaroux des terroristes, cet Antinoüs des Jacobins, s'étalait dans un cadre d'or poudreux contre la muraille entre les rideaux du lit et la porte, objet d'un culte de souvenir de jeune fille pour le plus séduisant des disciples du tribun de la mort.

La jeune fille était devenue femme, mère, veuve; elle avait vieilli d'années et de visage, sans rappeler par ses traits aucune beauté passée, mais sans aucun signe de vieillesse ou de caducité. Une pensée fixe, triste, mais nullement déconcertée, donnait à ses traits une sorte de pétrification lapidaire dans une seule idée et dans un même sentiment, idée abstraite, sentiment ferme, mais nullement sévère.

Elle m'accueillit avec sécurité, prévenue qu'elle était par le poëte Béranger que je n'étais point de sa religion politique, que je ne venais ni pour la flatter ni pour la trahir, mais uniquement pour m'instruire et pour entendre ses témoignages sur le temps, sur les choses, sur les hommes qu'elle avait traversés, connus, fréquentés de si près dans cette intimité quotidienne où les hommes les plus comédiens en public oublient de se masquer, selon leurs rôles, devant les témoins domestiques de toutes les heures secrètes de leur vie.

Je lui répétai ce que lui avait dit à ce sujet Béranger: «Je ne me présente point à vous, lui disje, comme un partisan de la terreur et comme un réhabilitateur de la mémoire que vous cultivez. À Dieu ne plaise! Fils de royaliste, royaliste moimême de naissance, de tradition, d'éducation, pendant mes jeunes années, si Robespierre n'était pas mort, mon père n'aurait pas vécu, et toute ma famille aurait été victime de son système de rénovation de la France par l'extermination. Mais je veux porter dans l'histoire publique l'honnêteté de la conscience privée, peindre les acteurs non avec les traits du préjugé et de la vengeance, mais avec leurs propres traits. On doit justice même à ce que l'on réprouve, et, s'il y a une vertu mêlée par hasard au crime dans un homme justement abhorré de ses ennemis ou de ses victimes, il ne faut point nier cet amalgame monstrueux, mais souvent réel; il faut séparer, avec une sincérité loyale, cette vertu du crime, et dire à l'histoire: Ceci était vertu, ceci était crime; et ceci, crime et vertu, était l'homme. Voilà dans quel esprit de répulsion instinctive contre votre idole et d'impartialité historique dans l'histoire je viens recueillir vos souvenirs. Accordezlesmoi ou refusezlesmoi, selon l'idée que vous vous ferez de moimême; je respecterai également votre confiance et votre silence, je reviendrai ou je m'éloignerai sans retour.»

Madame Lebas fut plus sensible à cette franchise qu'elle ne l'aurait été à une adulation intéressée de ses sentiments. Elle m'accorda un libre accès dans sa retraite et me laissa feuilleter à mon aise, et page par page, sa mémoire présente, intarissable et passionnée sur tous les détails intérieurs ou extérieurs de la vie privée et de la vie publique de Robespierre. Tout ce que j'ai rapporté dans les Girondins sur la vie ascétique, retirée, laborieuse, chaste et pour ainsi dire abstraite de l'idole des Jacobins et du peuple, est textuellement la conversation de madame Lebas. Le style et les réflexions seuls sont de moi.

XVI

SaintJust aussi jouait un grand rôle dans cette mémoire. Je crois que la jeune fille de l'entrepreneur Duplay, hôte de Robespierre, avait eu la pensée de devenir l'épouse du jeune et beau proconsul, fanatique séide de ce Mahomet d'entresol, quand la révolution que Robespierre croyait accomplir serait enfin close par cette bergerie plébéienne et sentimentale que SaintJust et son maître croyaient établir à la place des inégalités nivelées et des échafauds abolis.

Car, au fond, c'était là leur pensée. On la retrouve dans tous leurs papiers secrets et dans toutes leurs conversations à portes fermées, à la table de la mère de mesdemoiselles Duplay. Toutes les fois que le nom de SaintJust revenait dans nos entretiens, l'accent s'amollissait, la physionomie s'attendrissait visiblement dans madame Lebas, et un regard d'enthousiasme rétrospectif s'élevait du portrait vers le plafond, comme un reproche muet au ciel d'avoir tranché quelque douce perspective, par la hache de 1794, avec cette tête d'ange exterminateur sur le buste d'un proscripteur de vingtsept ans.

XVII

Je retrouvai avec plus de peine encore une autre source d'informations sur Danton dans M. de SaintAlbin, dont le vaste hôtel de la rue du Temple était un vrai musée de la Terreur. Il y avait échappé luimême en changeant de nom. Mais ses informations avaient des réticences qui ne permettaient pas de croire à la complète impartialité du confident de Danton. Il ne fallait lui demander que les figures.

J'en découvris une autre bien plus sûre, bien plus précise et bien plus originale dans Souberbielle, vieux et fidèle terroriste, resté jusqu'à quatrevingts ans fanatique de Robespierre comme au jour de la proclamation de l'Être suprême, et ne cessant pas de déplorer le 9 thermidor et le supplice du tribunpontife, comme l'holocauste de la vertu.

Souberbielle, qui demeurait presque invisible dans le quartier de la place Royale, avec une vieille servante, me recevait au chevet de son lit avec une joie mal déguisée, comme un mourant reçoit un légataire pour lui confier avant la mort ses chers souvenirs. Il paraissait vivre dans l'aisance, quoique dans la solitude. Son appartement, au premier étage d'une maison décente, était en désordre, mais c'était un désordre de négligence; les meubles s'y entassaient sur les meubles, les tableaux sur les tableaux, les étoffes sur les étoffes: on eût dit un encan.

Il avait été un des confidents les plus initiés dans les pensées et dans les actes politiques du chef du comité de salut public. Robespierre l'avait nommé médecin en chef et en même temps agent principal de sa confiance à cette École de Mars, corps de jeunes janissaires personnels de Robespierre, logés au Champ de Mars, qui gardaient de loin la Convention et veillaient surtout sur Robespierre luimême, prêts à voler à son secours dans le cas où ses collègues, fatigués de sa domination, viendraient à lui livrer combat dans l'Assemblée ou dans la capitale. Souberbielle savait tous ses secrets et partageait, même à quarante ans de distance, tout le fanatisme de son maître pour les grandes pensées populaires et vertueuses qu'il lui supposait encore.

Cette apothéose de Robespierre était dure pour moi à supporter. Dans ses accès d'enthousiasme, le sang chaud et méridional de Souberbielle, qui se portait à son front, lui donnait une figure sibyllique d'inspiré de l'échafaud; ses cheveux blancs se hérissaient avec le frémissement de l'exaltation sur sa tête, et les reflets rouges de ses rideaux de lit cramoisis, transpercés par le soleil du matin et se répercutant sur ce lit de vieillard, semblaient filtrer non de la lueur, mais une teinte de sang. Il n'était pas féroce, mais encore ivre de l'ivresse des champs de bataille du 9 thermidor, où Robespierre, qui n'avait pas voulu combattre, avait préféré mourir désarmé. Cela était juste. Le crime a quelquefois des martyrs, jamais de héros.

C'est à ce soin minutieux et consciencieux de rechercher la vérité aux sources privées les plus rapprochées des acteurs, et par conséquent les plus naturellement partiales pour eux, que j'ai dû le reproche non pas d'avoir flatté, mais trop minutieusement reproduit les portraits les plus odieux des hommes les plus réprouvés parmi les tribuns sanguinaires du comité de salut public, et surtout de Robespierre, cette personnification de la Terreur. Non pas cependant qu'on m'ait attribué aucune complicité de doctrines avec cet homme chimérique d'institutions, philosophe d'échafaud, impassible de meurtre, sans cruauté comme sans pitié dans le cœur, s'il avait un cœur, immolateur par système de tout ce qui résistait au froid délire d'un impossible nivellement sous le niveau de fer de sa guillotine. Le jugement final porté par moi dans les Girondins sur cet homme, sur ses systèmes et sur ses actes, est trop implacable de sévérité pour qu'on puisse m'imputer aucune complicité d'idées ou aucune intention d'atténuation de ses immanités, juste horreur des siècles. Mais l'imagination des lecteurs voit toujours le crime ou la vertu d'une seule pièce; elle s'irrite quand on lui montre dans un monstre une parcelle de vertu, et dans un homme de bien un atome de faiblesse. La moindre justice dans l'historien lui paraît une complicité, la moindre équité est à ses yeux une connivence.

XVIII

De plus, et ici je me frappe la poitrine, le public a eu un peu raison contre moi. On a trouvé que le pinceau de l'historien caressait trop les détails intimes de cette figure, et que ce soin même du pinceau accusait une certaine indulgence coupable ou malséante pour le modèle. Ainsi la philosophie ascétique du député d'Arras, la ténacité froide de ses idées d'abord féneloniennes, la patience de ses utopies à attendre l'heure des applications, au milieu des premiers murmures de l'Assemblée constituante contre ses chimères démagogiques, son obstination à acquérir par un travail ingrat l'éloquence qui lui manquait à l'origine et qu'il finit par conquérir à force de veilles, sa pauvreté volontaire, sa vie d'artisan dans une maison d'artisan, sa sobriété, sa séquestration absolue du monde des plaisirs ou des intrigues, en sorte qu'il ne sortait de son entresol, au dessus d'un atelier, que pour apparaître aux deux tribunes du peuple: tous ces détails vrais du portrait de Robespierre, détails sur lesquels j'ai trop insisté, d'après madame Lebas, n'étaient que de la fidélité et ont paru de la faveur.

Moi, un terroriste! On l'a bien vu, quand, porté un moment, par le hasard de ma vie et des événements, à la place même où Robespierre avait reçu le coup de pistolet vengeur du sang qu'il avait demandé et qu'il demandait encore, mon premier acte politique a été de proposer au gouvernement de la seconde république, qui partageait mon impatience d'humanité, de porter le décret d'abolition de la peine de mort en politique, et de désarmer, en nous désarmant, le peuple de l'arme des supplices, qui déshonore toutes les causes populaires quand elle ne les tue pas. C'était un commentaire en action sans doute assez explicite, et j'oserai dire en ce moment, assez dévoué, de ma prétendue apothéose de Robespierre.

Mais je n'en avais pas eu moins tort, comme historien, d'avoir donné prétexte à ce reproche, non par mon cœur, mais par mon pinceau. Ces sortes de figures sinistres doivent rester dans l'ombre des tableaux; la lumière les jette trop en avant sur la scène. Il faut de l'horreur autour des bourreaux, pour qu'il y ait plus d'éclat autour des victimes. Un coup de pinceau, comme un coup de hache, avec une couleur de sang, voilà tout.

Lamartine.

CRITIQUE
DE
L'HISTOIRE DES GIRONDINS.

(TROISIÈME PARTIE.)

I

Encore une fois, c'est là une faute de conception et presque de moralité dans l'Histoire des Girondins. J'en demande pardon comme artiste, mais certes pas comme homme politique. La fidélité du portrait n'est pas la complicité du peintre.

Quand, dans le moyen âge de Rome papale, la belle et infortunée Cinci devint complice de la mort d'un tyran féodal, féroce et incestueux, qui était son père, et quand la juste inflexibilité du pape refusa la grâce d'une coupable, grâce que toute l'Italie demandait à cause de la fatalité, de l'innocence et de la beauté de la victime, un peintre illustre saisit son pinceau et retraça, pendant qu'elle marchait à l'échafaud, la figure angélique et la pâleur livide de la Cinci; ce portrait rendit à la condamnée une vie immortelle. Qui jamais accusa le peintre du parricide de son modèle?

II

Cela dit quant à la véracité et à la sincérité de l'histoire, un mot du style. Le style étant ce qu'on appelle le talent, et le talent étant la partie d'un livre où se réfugie l'amourpropre de l'auteur, il serait malséant et immodeste à moi d'en parler; j'aurais voulu en avoir davantage pour populariser et immortaliser les récits, les leçons et les moralités de ces mémorables événements.

L'homme a beau se guinder, il ne peut ajouter une ligne à sa taille; il est ce qu'il est. Je n'ai pas mis de prétention dans mon style, j'y ai mis un peu plus d'attention que dans mes autres écrits, en vers ou en prose, parce que mes autres écrits, surtout en prose, ne s'adressaient qu'au temps, et que l'histoire s'adresse à la postérité. Je respectais plus la postérité que mon temps. Mais le caractère de mon style, étant le mouvement, la chaleur et l'improvisation, ne comporte pas ces perfections élégantes et ce poli des surfaces qui, dans les styles vraiment classiques, sont l'œuvre du temps. Dans l'ordre matériel, comme dans l'ordre littéraire, tout ce qui est poli est froid. Voyez le marbre. Je ne suis pas de marbre, je suis d'argile, je le reconnais. C'est donc au public et non à moi de caractériser le style des Girondins. Je ferai ici une simple observation sur la critique qui a été faite le plus souvent de mon style historique par des historiens mes émules ou mes rivaux. C'est l'abondance et la minutieuse exactitude des portraits de mes personnages historiques. Si c'est un défaut, j'en conviens; mais j'en conviens sans m'en accuser et sans m'en repentir. Voici pourquoi:

III

Je n'ai jamais eu d'autre rhétorique et d'autre critique que mon plaisir. Faire l'histoire comme j'aime à la lire, voilà tout mon système d'écrivain. Or les portraits physiques et biographiques des personnages me charment et m'instruisent dans Thucydide, dans Tacite, dans Machiavel, dans SaintSimon, dans tous les grands historiens anciens ou modernes. L'homme m'explique l'événement, le visage m'explique l'homme, les traits me révèlent le caractère, la vie privée me dévoile les motifs souvent cachés de la vie publique.

Peutêtre ce goût pour les portraits tientil en moi à mon imagination plastique et pittoresque, qui a besoin de se représenter fortement la physionomie des choses et des hommes pendant qu'elle lit le récit des événements où ces hommes sont en scène dans le livre. C'est possible; mais j'ai toujours cru que la peinture n'était pas un défaut dans ces tableaux écrits qu'on appelle la grande histoire. Un nom seul ne me peint rien, ce n'est qu'une abstraction composée de quelques syllabes. J'ai en dégoût les historiens abstraits; ils éveillent ma curiosité, ils ne la satisfont pas.

Plutarque pensait évidemment comme moi, mais il plaçait le portrait après l'homme. Je n'ai jamais compris pourquoi les historiens français, anglais, italiens, espagnols, ont imité Plutarque en cela; cela m'a toujours paru bizarre et absurde. Car quel est l'objet du portrait historique? C'est évidemment d'appeler et de fixer l'attention et l'intérêt sur la figure d'un personnage que l'on va voir entrer en scène et agir sous vos yeux. C'est donc, selon la logique, le moment où il faut dire au lecteur: Voilà quel était ce personnage, voilà d'où il venait, voilà comment il était sorti de l'obscurité, voilà dans quelles dispositions de famille, de corps, d'esprit, de passion il arrivait pour participer à l'événement. On comprend alors, dès qu'il apparaît, dès qu'il parle, dès qu'il agit, ses premiers mots et ses moindres actes; on a le pressentiment de sa présence et de son importance dans le drame, on le regarde, on le reconnaît, on s'incorpore, pour ainsi dire, d'avance avec lui. C'est donc avant le rôle et non après la mort du personnage qu'il faut, selon moi, le portrait; ce n'est pas quand il est mort ou retiré pour jamais de la scène. Ce qu'il faut alors au lecteur, ce n'est pas le portrait, c'est le jugement historique et moral sur le rôle héroïque ou odieux de cet homme, c'est l'épitaphe lapidaire de son nom. Je crois donc que ces historiens antiques ou ces historiens routiniers modernes qui ont imité Plutarque en plaçant le portrait à la fin au lieu de le placer au commencement, se sont trompés de place dans leur système historique; je le crois d'autant plus que ce n'est pas ainsi que procède la nature, cette grande logicienne, cette grande rhétoricienne de l'école de Dieu.

Quand la nature veut nous intéresser à un événement où figure un homme ou une femme quelconque, que faitelle? Elle commence par nous montrer la place où cet événement va se passer, un site, un paysage, une ville, une maison, un palais, un temple, un champ de bataille, une assemblée publique, un peuple en ébullition ou en silence, mêlé ou attentif à un événement: puis elle nous montre un personnage qui arrive sur cette scène pour y figurer au premier plan, son visage, son attitude, sa démarche, sa physionomie calme ou convulsive, son costume même et jusqu'à l'ombre que son corps projette à côté ou derrière lui sur la place ou sur la foule au milieu de laquelle il apparaît. Voilà le procédé de la nature. D'abord le lieu, puis l'homme, puis les accessoires, les indices de l'événement qui va se passer. Quand la nature a jeté ainsi le site et l'homme dans les yeux du spectateur, et que ces yeux ont eu le temps de bien regarder et de bien se figurer le personnage qui doit parler ou agir, elle le fait se mouvoir, elle le fait parler ou agir, elle le fait commettre des actes de vertu, de politique, ou des forfaits d'ambition à travers l'événement qui se déroule. On suit le personnage, on le pressent, on le devine, on se passionne pour ou contre lui, selon qu'on participe soimême par l'admiration ou par l'horreur à l'héroïsme, au fanatisme, au crime ou à la vertu de l'homme historique; on vit de sa vie ou l'on meurt de sa mort par l'imagination émue pour ou contre lui; il disparaît, et l'historien alors reparaît lui; et, semblable au chœur antique, cet historien prend la parole, prononce un jugement moral, court, nerveux, impartial, favorable ou implacable sur le personnage qu'il vient de représenter à vos yeux. Voilà comment procède la nature. Le style doitil procéder autrement? Évidemment non; le mode naturel est le mode logique. La nature est le Quintilien des bons esprits; faisons comme elle, et nous serons sûrs de frapper l'œil, de satisfaire l'esprit et de toucher le cœur.

IV

C'est ainsi que j'ai raisonné, c'est ainsi que j'ai essayé d'écrire, c'est ainsi que j'ai été amené à faire beaucoup de portraits et à placer ces figures avant l'action, comme sur la scène on présente l'acteur avant le rôle, et non pas le rôle avant l'acteur, contresens à la logique de la nature dont Plutarque a donné l'exemple aux pédants de l'histoire.

Aije bien ou mal fait d'imiter la nature au lieu d'imiter Plutarque ou Rollin? Ce n'est pas à moi de le dire. Encore une fois, mon livre est plein de défauts; mais, malgré ces défauts, c'est de tous les livres historiques publiés en Europe depuis JeanJacques Rousseau, dans la fièvre d'engouement qui saisit l'Europe à l'apparition de la Nouvelle Héloïse, c'est celui de tous les livres sérieux qui a été le plus vite et le plus persévéramment dévoré par la curiosité publique depuis son apparition; c'est celui qu'on a accusé bien à tort d'avoir assez ébranlé les esprits en France et en Europe pour avoir fait une révolution en France et huit ou dix révolutions en Europe.

J'ai prononcé le mot d'engouement tout à l'heure, pour expliquer le succès de la Nouvelle Héloïse de JeanJacques Rousseau au moment de son apparition; mais remarquez qu'on ne peut expliquer par ce mot d'engouement le succès des Girondins, car l'engouement ne dure pas vingt ans sans rémission et même sans dégoût contre un livre; or les éditions de l'Histoire des Girondins se succèdent depuis vingt ans sous la presse de Paris, de Londres, de la Belgique, sans que la prodigieuse consommation de ce livre se soit abaissée d'un chiffre ou ralentie d'un jour en France et en Europe. (Consultez à cet égard les libraires.) Donc le mode de composition et de style que j'ai employé à ce livre avait, au milieu de mille imperfections et de mille insuffisances de talent, au moins cet intérêt dû aux portraits mêmes que mes émules en histoire me reprochent.

J'ajoute encore, et je dois ajouter, que, par un acharnement extrême et injuste, la faction orléaniste, la faction démagogique et le haut parti légitimiste[2] ont fait de concert tout ce qu'ils ont pu pour décréditer ce livre, et qu'ils n'y sont pas parvenus; le même nombre d'exemplaires leur glisse tous les ans entre les doigts et se répand dans toutes les bibliothèques du globe. Cela ne prouve pas que ce livre a du style, mais cela fait présumer qu'il a de la vie. La vie aussi est un style; c'est le cœur des livres: tant que ce cœur bat, le livre n'est pas mort, et il continue à faire battre le cœur de ceux qui le lisent des mêmes sentiments qui animent l'auteur en l'écrivant. J'admets donc que le livre est faiblement écrit; mais son succès prodigieux et continu me permet de croire qu'il est, malgré ses imperfections, encore vivant et sympathique.

V

Un autre caractère qui me frappe en le relisant moimême aujourd'hui, et qui fait, je n'en doute pas, une grande partie de son intérêt, c'est que les hommes y sont beaucoup plus en scène que les choses. J'ai personnifié partout les événements dans les acteurs; c'est le moyen d'être toujours intéressant, car les hommes vivent et les choses sont mortes, les hommes ont un cœur et les choses n'en ont pas, les choses sont abstraites et les hommes sont réels. Ôtez du livre une centaine d'hommes principaux qui animent tout de leur âme, qui passionnent tout de leurs passions, et le livre n'existerait plus. C'est ainsi qu'ayant à représenter dès le début la Révolution qui va s'ouvrir, je choisis un homme, Mirabeau, et je personnifie en lui toute la Révolution. Sa biographie, plus romanesque qu'un roman, attache tout de suite le lecteur, par toutes les curiosités de l'esprit et par toutes les émotions de l'âme, au drame dont ce grand acteur va remuer la scène.

VI

«J'entreprends d'écrire l'histoire d'un petit nombre d'hommes qui, jetés par la Providence au centre du plus grand drame des temps modernes, résument en eux les idées, les passions, les vertus, les fautes d'une époque, et dont la vie et la politique, formant, pour ainsi dire, le nœud de la Révolution française, sont tranchées du même coup que les destinées de leur pays.

«Cette histoire pleine de sang et de larmes est pleine aussi d'enseignements pour les peuples. Jamais peutêtre autant de tragiques événements ne furent pressés dans un espace de temps aussi court; jamais non plus cette corrélation mystérieuse qui existe entre les actes et leurs conséquences ne se déroula avec plus de rapidité. Jamais les faiblesses n'engendrèrent plus vite les fautes, les fautes les crimes, les crimes le châtiment. Cette justice rémunératoire que Dieu a placée dans nos actes mêmes comme une conscience plus sainte que la fatalité des anciens ne se manifesta jamais avec plus d'évidence; jamais la loi morale ne se rendit à ellemême un plus éclatant témoignage et ne se vengea plus impitoyablement. En sorte que le simple récit de ces deux années est le plus lumineux commentaire de toute une grande révolution, et que le sang répandu à flots n'y crie pas seulement terreur et pitié, mais leçon et exemple aux hommes. C'est dans cet esprit que je veux les raconter.

«L'impartialité de l'histoire n'est pas celle du miroir qui reflète seulement les objets, c'est celle du juge qui voit, qui écoute et qui prononce. Des annales ne sont pas de l'histoire: pour qu'elle mérite ce nom, il lui faut une conscience; car elle devient plus tard celle du genre humain. Le récit vivifié par l'imagination, réfléchi et jugé par la sagesse, voilà l'histoire telle que les anciens l'entendaient, et telle que je voudrais moimême, si Dieu daignait guider ma plume, en laisser un fragment à mon pays.»

VII

«Mirabeau venait de mourir. L'instinct du peuple le portait à se presser en foule autour de la maison de son tribun, comme pour demander encore des inspirations à son cercueil; mais Mirabeau vivant luimême n'en aurait plus eu à donner. Son génie avait pâli devant celui de la Révolution; entraîné à un précipice inévitable par le char même qu'il avait lancé, il se cramponnait en vain à la tribune. Les derniers mémoires qu'il adressait au roi, et que l'armoire de fer nous a livrés avec le secret de sa vénalité, témoignent de l'affaissement et du découragement de son intelligence. Ses conseils sont versatiles, incohérents, presque puérils. Tantôt il arrêtera la Révolution avec un grain de sable. Tantôt il place le salut de la monarchie dans une proclamation de la couronne et dans une cérémonie royale propre à populariser le roi. Tantôt il veut acheter les applaudissements des tribunes et croit que la nation lui sera vendue avec eux. La petitesse des moyens de salut contraste avec l'immensité croissante des périls. Le désordre est dans ses idées. On sent qu'il a eu la main forcée par les passions qu'il a soulevées, et que, ne pouvant plus les diriger, il les trahit, mais sans pouvoir les perdre. Ce grand agitateur n'est plus qu'un courtisan effrayé qui se réfugie sous le trône, et qui, balbutiant encore les mots terribles de nation et de liberté, qui sont dans son rôle, a déjà contracté dans son âme toute la petitesse et toute la vanité des pensées de cour. Le génie fait pitié quand on le voit aux prises avec l'impossible. Mirabeau était le plus fort des hommes de son temps; mais le plus grand des hommes se débattant contre un élément en fureur ne paraît plus qu'un insensé. La chute n'est majestueuse que quand on tombe avec sa vertu.»

VIII

Lisez son portrait politique à la suite de son portrait physique et moral; l'homme personnifie immédiatement en lui nonseulement la pensée, mais, hélas! aussi les passions et les immoralités que toute révolution fait bouillonner dans toutes ces vastes commotions humaines.

«Dès son entrée dans l'Assemblée nationale, il la remplit; il y est lui seul le peuple entier. Ses gestes sont des ordres, ses motions sont des coups d'État. Il se met de niveau avec le trône. La noblesse se sent vaincue par cette force sortie de son sein. Le clergé, qui est peuple, et qui veut remettre la démocratie dans l'Église, lui prête sa force pour faire écrouler la double aristocratie de la noblesse et des évêques. Tout tombe en quelques mois de ce qui avait été bâti et cimenté par les siècles. Mirabeau se reconnaît seul au milieu de ces débris. Son rôle de tribun cesse. Celui de l'homme d'État commence. Il y est plus grand encore que dans le premier. Là où tout le monde tâtonne, il touche juste, il marche droit. La Révolution dans sa tête n'est plus une colère, c'est un plan. La philosophie du dixhuitième siècle, modérée par la prudence du politique, découle toute formulée de ses lèvres. Son éloquence, impérative comme la loi, n'est plus que le talent de passionner la raison. Sa parole allume et éclaire tout. Presque seul dès ce moment, il a le courage de rester seul. Il brave l'envie, la haine et les murmures, appuyé sur le sentiment de sa supériorité. Il congédie avec dédain les passions qui l'ont suivi jusquelà. Il ne veut plus d'elles le jour où sa cause n'en a plus besoin; il ne parle plus aux hommes qu'au nom de son génie. Ce titre lui suffit pour être obéi. L'assentiment que trouve la vérité dans les âmes est sa puissance. Sa force lui revient par le contrecoup. Il s'élève entre tous les partis et audessus d'eux. Tous le détestent, parce qu'il les domine; et tous le convoitent, parce qu'il peut les perdre ou les servir. Il ne se donne à aucun, il négocie avec tous; il pose, impassible sur l'élément tumultueux de cette Assemblée, les bases de la constitution réformée: législation, finances, diplomatie, guerre, religion, économie politique, balance des pouvoirs, il aborde et il tranche toutes les questions, non en utopiste, mais en politique. La solution qu'il apporte est toujours la moyenne exacte entre l'idéal et la pratique. Il met la raison à la portée des mœurs, et les institutions en rapport avec les habitudes. Il veut un trône pour appuyer la démocratie, il veut la liberté dans les chambres, et la volonté de la nation, une et irrésistible, dans le gouvernement. Le caractère de son génie, tant défini et tant méconnu, est encore moins l'audace que la justesse. Il a sous la majesté de l'expression l'infaillibilité du bon sens. Ses vices mêmes ne peuvent prévaloir sur la netteté et sur la sincérité de son intelligence. Au pied de la tribune, c'est un homme sans pudeur et sans vertu; à la tribune, c'est un honnête homme. Livré à ses déportements privés, marchandé par les puissances étrangères, vendu à la cour pour satisfaire ses goûts dispendieux, il garde dans ce trafic honteux de son caractère l'incorruptibilité de son génie. De toutes les forces d'un grand homme sur son siècle, il ne lui manque que l'honnêteté. Le peuple n'est pas une religion pour lui, c'est un instrument; son dieu, à lui, c'est la gloire; sa foi, c'est la postérité; sa conscience n'est que dans son esprit; le fanatisme de son idée est tout humain; le froid matérialisme de son siècle enlève à son âme le mobile, la force et le but des choses impérissables. Il meurt en disant: «Enveloppezmoi de parfums et couronnezmoi de fleurs pour entrer dans le sommeil éternel.» Il est tout du temps; il n'imprime à son œuvre rien d'infini.»

IX

Ici, je laisse respirer le lecteur et je caractérise l'esprit de la Révolution. Cette caractérisation est pleine d'erreurs, elle est lyrique plus que politique. J'y remarque surtout des théories sociales du Contrat social de JeanJacques Rousseau; il faut lire ces pages avec une extrême précaution de jugement. J'ai lu depuis ce Contrat social de JeanJacques Rousseau que je vantais alors sur parole; j'en ai publié dernièrement l'analyse et la critique raisonnées (Entretiens littéraires, n. 65 à 67). J'engage mes lecteurs à les lire; on y verra combien j'ai changé d'impression sur ce faux prophète d'une liberté anarchique, d'une liberté sans limites, d'une égalité impraticable. L'histoire et l'expérience m'ont mûri l'esprit; ce n'est nullement une répudiation de principes, c'est un progrès. La société libre moins que la société tyrannique ne peut se fonder sur des mensonges. Le Contrat social de JeanJacques Rousseau et les Droits de l'homme de La Fayette, proclamés en 1789, sont un catalogue de contrevérités politiques. Ni l'un ni l'autre de ces apologistes des droits de l'homme en société ne comprenaient la portée de ce qu'ils écrivaient; du moins, ils n'en prévoyaient pas les conséquences. Le peuple votait d'enthousiasme, quoi? le néant. Combien il serait beau aujourd'hui d'écrire ces vrais droits de l'homme par la main d'un Aristote, d'un Bacon, d'un Montesquieu, d'un Mirabeau! Car Mirabeau ne donne jamais dans ces métaphysiques de JeanJacques Rousseau; il les laisse jeter au peuple comme des osselets, mais il s'en moque toujours les portes fermées. S'il n'avait pas la vertu de la probité politique, il avait le génie des réalités.

X

Le portrait de Louis XVI est vrai, il est respectueux pour le malheur de sa situation.

Voyez ce dernier trait:

«Dans la situation de Louis XVI, et quand on se demande quel est le conseil qui aurait pu le sauver, on cherche et on ne trouve pas. Il y a des circonstances qui enlacent tous les mouvements d'un homme dans un tel piége que, quelque direction qu'il prenne, il tombe dans la fatalité de ses fautes ou dans celle de ses vertus. Louis XVI en était là. Toute la dépopularisation de la royauté en France, toutes les fautes des administrations précédentes, tous les vices des rois, toutes les hontes des cours, tous les griefs du peuple, avaient pour ainsi dire abouti sur sa tête et marqué son front innocent pour l'expiation de plusieurs siècles. Les époques de rénovation ont leurs sacrifices. Quand elles veulent renouveler une institution qui ne leur va plus, elles entassent sur l'homme en qui cette institution se personnifie tout l'odieux et toute la condamnation de l'institution ellemême; elles font de cet homme une victime qu'elles immolent au temps: Louis XVI était cette victime innocente, mais chargée de toutes les iniquités des trônes, et qui devait être immolée en châtiment de la royauté. Voilà le roi.»

XI

On m'a beaucoup reproché le portrait de la reine; lisez pourtant. Quel peintre, même madame Lebrun, a porté plus de grâce et plus d'attendrissement sur cette figure?

«Cette jeune reine semblait avoir été créée par la nature pour attirer à jamais l'intérêt et la pitié des siècles sur un de ces drames d'État qui ne sont pas complets quand les infortunes d'une femme ne les achèvent pas. Fille de MarieThérèse, elle avait commencé sa vie dans les orages de la monarchie autrichienne. Elle était sœur de ces enfants que l'impératrice tenait par la main quand elle se présenta en suppliante devant les fidèles Hongrois, et que ces troupes s'écrièrent: «Mourons pour notre roi MarieThérèse!» Sa fille aussi avait le cœur d'un roi. À son arrivée en France, sa beauté avait ébloui le royaume: cette beauté était dans tout son éclat. Elle était grande, élancée, souple: une véritable fille du Tyrol. Les deux enfants qu'elle avait donnés au trône, loin de la flétrir, ajoutaient à l'impression de sa personne ce caractère de majesté maternelle qui sied si bien à la mère d'une nation. Le pressentiment de ses malheurs, le souvenir des scènes tragiques de Versailles, les inquiétudes de chaque jour, pâlissaient seulement un peu sa première fraîcheur. La dignité naturelle de son port n'enlevait rien à la grâce de ses mouvements; son cou, bien détaché des épaules, avait ces magnifiques inflexions qui donnent tant d'expression aux attitudes. On sentait la femme sous la reine, la tendresse du cœur sous la majesté du port. Ses cheveux blondcendré étaient longs et soyeux; son front haut et un peu bombé venait se joindre aux tempes par ces courbes qui donnent tant de délicatesse et tant de sensibilité à ce siége de la pensée ou de l'âme chez les femmes; les yeux de ce bleu clair qui rappelle le ciel du Nord ou l'eau du Danube; le nez aquilin, les narines bien ouvertes et légèrement renflées, où les émotions palpitaient, signe du courage; une bouche grande, des dents éclatantes, des lèvres autrichiennes, c'estàdire saillantes et découpées; le tour du visage ovale, la physionomie mobile, expressive, passionnée; sur l'ensemble de ces traits, cet éclat qui ne se peut décrire, qui jaillit du regard, de l'ombre, des reflets du visage, qui l'enveloppe d'un rayonnement semblable à la vapeur chaude et colorée où nagent les objets frappés du soleil: dernière expression de la beauté qui lui donne l'idéal, qui la rend vivante et qui la change en attrait. Avec tous ces charmes, une âme altérée d'attachement, un cœur facile à émouvoir, mais ne demandant qu'à se fixer; un sourire pensif et intelligent qui n'avait rien de banal; des intimités, des préférences, parce qu'elle se sentait digne d'amitiés. Voilà MarieAntoinette comme femme. C'était assez pour faire la félicité d'un homme et l'ornement d'une cour.

«Pour inspirer un roi indécis et pour faire le salut d'un État dans des circonstances difficiles, il fallait plus: il fallait le génie du gouvernement; la reine ne l'avait pas. Rien n'avait pu la préparer au maniement des forces désordonnées qui s'agitaient autour d'elle; le malheur ne lui avait pas donné le temps de la réflexion. Accueillie avec enivrement par une cour orgueilleuse et une nation ardente, elle avait dû croire à l'éternité de ces sentiments. Elle s'était endormie dans les dissipations de Trianon. Elle avait entendu les premiers bouillonnements de la tempête sans croire au danger; elle s'était fiée à l'amour qu'elle inspirait et qu'elle se sentait dans le cœur. La cour était devenue exigeante, la nation hostile. Instrument des intrigues de la cour sur le cœur du roi, elle avait d'abord favorisé, puis combattu toutes les réformes qui pouvaient prévenir ou ajourner les crises. Sa politique n'était que de l'engouement, son système n'était que son abandon alternatif à tous ceux qui lui promettaient le salut du roi.»

XII

Tout cela est parfaitement indulgent quoique parfaitement historique; ce qui suit l'est également:

«On en vint à la redouter dans le parti de la Révolution. On est prompt à calomnier ce qu'on craint. On la peignait dans d'odieux pamphlets sous les traits d'une Messaline; les bruits les plus infâmes circulaient; les anecdotes les plus controuvées furent répandues. Le cœur d'une femme, fûtelle reine, a droit à l'inviolabilité; ses sentiments ne deviennent de l'histoire que quand ils éclatent en publicité.»

Voilà ce qui fit éclater contre moi un cri de profanation de l'image de la reine qui retentit encore. J'avais deux torts, en effet, que je ne cherche point à excuser: le premier, c'était de porter, quoique dans une intention trèsinnocente et même trèsatténuante, le jour non pas de l'évidence, mais de la conjecture sur l'intérieur d'une femme qui ne doit compte qu'à Dieu et à son mari de la nature de ses intimités et de ses prédilections, intimités et prédilections que l'historien doit toujours présumer irréprochables; le second, c'était de m'être servi du mot pudeur au lieu du mot convenance dans la dernière phrase de ce paragraphe. Je l'avais mis trèsinnocemment; il caractérisait dans ma pensée les accusations que je ne voulais pas rappeler. Mais, l'histoire étant à mes yeux toujours un peu monumentale, toutes les fois qu'il se présente à ma plume de ces mots signifiant la même chose, je choisis de préférence le mot le plus classique, le mot à étymologie latine. J'avais fait là ce que je fais toujours, j'avais pris le mot latin pudeur au lieu du mot moderne réserve ou convenance. On affecta de croire que j'avais voulu par ce mot donner un caractère d'impudicité à la conduite de la reine. Rien n'était plus loin de ma pensée. Je changeai le mot dès que je m'aperçus de sa mauvaise interprétation à la seconde édition; mais il était trop tard pour la susceptibilité des royalistes du parti de la reine. Je ne les accuse pas à mon tour d'avoir pris un lapsus de plume pour une profanation sacrilége. Je reconnais que j'avais été, non pas coupable, mais téméraire et malheureux dans ce regard jeté sur l'intérieur de cette jeune reine. Rien n'autorise à lui imputer un tort de conduite dans ses devoirs d'épouse, de mère et d'amie. Mais, quant à son influence versatile et selon moi funeste sur les conseils de son mari, je persiste, sur la foi de ses amis euxmêmes, unanimes à déplorer son influence en ce sens, à lui attribuer bien involontairement les conséquences les plus tragiques de ces conseils contradictoires donnés au roi. Ce n'était pas sa faute, sans doute, mais ce fut son malheur; sa tête charmante mais sans expérience n'avait rien du génie viril de gouvernement que demandait une telle époque. Qu'on lise sans exception tous les mémoires de ses plus intimes courtisans de Versailles ou de Trianon, publiés avant et depuis les Girondins, on se convaincra qu'à cet égard ils sont tous plus sévères même que l'histoire sur l'action politique de la reine; et qu'on lise dans les Girondins les pages du cinquième volume consacrées par moi aux malheurs et au supplice de cette princesse, dont l'apothéose, juste alors, eut pour piédestal un cachot et un échafaud, certes on ne m'accusera plus d'avoir voulu ternir cette sublime ascension de la victime. J'en ai pour preuve l'indulgente justice et la constante faveur de jugement que sa fille dévouée, madame la duchesse d'Angoulême, en France comme dans l'exil, conserva jusqu'à sa mort à mon nom. Sous la sévérité peutêtre exagérée de l'historien de sa mère, cette princesse se plut à reconnaître le cœur toujours ému et toujours respectueux du peintre des malheurs de sa maison royale, le Van Dyck de ces autres Stuarts. J'en suis resté reconnaissant jusqu'à ce jour aussi, et cependant il faut ajouter que madame la duchesse d'Angoulême ne connaissait de moi que mes ouvrages et mon refus de servir une autre royauté que la sienne après 1830. Elle ne se souvenait pas du jeune royaliste inconnu de 1815 qui gardait la porte de son palais ou qui escortait à cheval la fuite nocturne de son oncle sur la route de la Belgique; mais elle lisait dans les Girondins le 10 août, la tour du Temple, le 21 janvier, le cachot de la Conciergerie, le martyre royal de sa mère disculpée et sanctifiée par les larmes de l'Europe, et le peintre qui avait déversé tant d'horreur sur ces supplices, tant de pitié sur ces victimes, ne lui apparaissait pas comme un sacrilége, mais comme un vengeur.

Cependant, je le répète, moins indulgent que cette princesse envers moimême, je me reproche amèrement d'avoir employé une expression malheureuse, quoique promptement effacée, en parlant d'une reine enivrée de jeunesse, de beauté, de puissance, d'adulations, et qui devait être plus tard l'éternelle victime et l'éternel remords de la Révolution.

XIII

Après ce portrait de la cour, viennent ceux de l'Assemblée: on les a lus; Robespierre vient le dernier. On a vu que je me reproche justement aussi d'avoir donné en apparence, comme artiste, trop de vernis à ce portrait. Qu'on en lise cependant le début: on y sent d'avance l'inflexibilité du jugement définitif.

«Dans l'ombre encore, et derrière les chefs de l'Assemblée nationale, un homme presque inconnu commençait à se mouvoir, agité d'une pensée inquiète qui semblait lui interdire le silence et le repos; il tentait en toute occasion la parole, et s'attaquait indifféremment à tous les orateurs, même à Mirabeau. Précipité de la tribune, il y remontait le lendemain; humilié par les sarcasmes, étouffé par les murmures, désavoué par tous les partis, disparaissant entre les grands athlètes qui fixaient l'attention publique, il était sans cesse vaincu, jamais lassé. On eût dit qu'un génie intime et prophétique lui révélait d'avance la vanité de tous ces talents, la toutepuissance de la volonté et de la patience, et qu'une voix entendue de lui seul lui disait: «Ces hommes qui te méprisent t'appartiennent; tous les détours de cette Révolution qui ne veut pas te voir viendront aboutir à toi, car tu t'es placé sur sa route comme l'inévitable excès auquel aboutit toute impulsion!» Cet homme, c'était Robespierre.

«Il y a des abîmes qu'on n'ose pas sonder et des caractères qu'on ne veut pas approfondir, de peur d'y trouver trop de ténèbres et trop d'horreur; mais l'histoire, qui a l'œil impassible du temps, ne doit pas s'arrêter à ces terreurs; elle doit comprendre ce qu'elle se charge de raconter.»

Ici je ne m'excuse pas, je me justifie. L'accusation d'avoir flatté Robespierre est la calomnie qui a le plus contristé mon cœur.

M'accuseraton aussi d'avoir flatté le club des Jacobins, levier de Robespierre? Qu'on lise.

XIV

«Le club dominant était celui des Jacobins; ce club était la centralisation de l'anarchie; aussitôt qu'une volonté puissante et passionnée remue une nation, cette volonté commune rapproche les hommes, l'individualisme cesse et l'association légale ou illégale organise la passion publique. De toutes les passions du peuple, celle qu'on y flattait le plus, c'était la haine; on le rendait ombrageux pour l'asservir. Convaincu que tout conspirait contre lui, roi, reine, cour, ministres, le peuple se jetait avec désespoir entre les bras de ses défenseurs; le plus éloquent à ses yeux était celui qui manifestait le plus de crainte; il avait soif de dénonciations, on les lui prodiguait. C'était ainsi que Barnave, les Lameth, puis Danton, Brissot, Camille Desmoulins, Pétion, Robespierre, avaient conquis leur autorité sur le peuple; ces noms avaient monté avec sa colère; ils entretenaient cette colère pour rester à leur sommet. La représentation nationale n'avait que les lois, le club avait le peuple, la sédition et même l'armée.

«Hélas! tout était aveugle alors, excepté la Révolution ellemême (c'estàdire la réforme et la reconstitution civile, moins ses abus, ses erreurs et ses vices).

«Si chacun des partis ou des hommes mêlés dès le premier jour à ces grands événements eût pris leur vertu au lieu de leur passion pour règle de leurs actes, tous ces désastres, qui les écrasèrent, eussent été sauvés à eux et à leur patrie. Si le roi eût été ferme et intelligent, si le clergé eût été désintéressé des choses temporelles, si l'aristocratie eût été juste, si le peuple eût été modéré, si Mirabeau eût été intègre, si La Fayette eût été décidé, si Robespierre eût été humain, la Révolution se serait déroulée, majestueuse et calme comme une pensée divine, sur la France et de là sur l'Europe; elle se serait installée comme une philosophie dans les faits, dans les lois, dans les cultes.

«Il devait en être autrement. La pensée la plus sainte, la plus juste et la plus pieuse, quand elle passe par l'imparfaite humanité, n'en sort qu'en lambeaux et en sang. Ceux même qui l'ont conçue ne la reconnaissent plus et la désavouent. Mais il n'est pas donné au crime luimême de dégrader la vérité; elle survit à tout, même à ses victimes. Le sang qui souille les hommes ne tache pas l'idée, et, malgré les égoïsmes qui l'avilissent, les lâchetés qui l'entravent, les forfaits qui la déshonorent, la Révolution souillée se purifie, se reconnaît, triomphe et triomphera.»

Le seul devoir de l'écrivain honnête était donc de définir cette Révolution, de ne point la laisser confondre comme on le fait tous les jours, aujourd'hui plus que jamais, avec les excès, les iniquités, les spoliations, les échafauds qui la souillèrent. C'est ce que l'Histoire des Girondins fait, on le reconnaîtra à toutes ses pages. Ce livre est mon témoin. Il a quelques faux principes; il n'a pas une excuse pour une goutte de sang, aucun démagogue n'y est flatté.

XV

Les portraits de Camille Desmoulins, de Marat et autres sont des stigmates. Voyez comment ce singe et ce tigre de la Terreur y sont peints; et cependant, si l'opinion publique a eu quelque faiblesse, même parmi les écrivains royalistes de ce temps, c'est pour Camille Desmoulins, cet enfant gâté de la faveur publique.

«Les Discours de la Lanterne aux Parisiens, transformés plus tard dans les Révolutions de France et de Brabant, étaient l'œuvre de Camille Desmoulins. Ce jeune étudiant, qui s'était improvisé publiciste, sur une chaise du jardin du PalaisRoyal, aux premiers mouvements populaires du mois de juillet 1789, avait conservé dans son style, souvent admirable, quelque chose de son premier rôle. C'était le génie sarcastique de Voltaire descendu du salon sur les tréteaux. Nul ne personnifiait mieux en lui la foule que Camille Desmoulins. C'était la foule avec ses mouvements inattendus et tumultueux, sa mobilité, son inconséquence, ses fureurs interrompues par le rire ou soudainement changées en attendrissement et en pitié pour les victimes mêmes qu'elle immolait. Un homme à la fois si ardent et si léger, trivial et si inspiré, si indécis entre le sang et les larmes, si prêt à lapider ce qu'il venait de déifier dans son enthousiasme, devait avoir sur un peuple en révolution d'autant plus d'empire qu'il lui ressemblait davantage. Son rôle, c'était sa nature. Il n'était pas seulement le singe du peuple, il était le peuple luimême. Son journal, colporté le soir dans les lieux publics et crié avec des sarcasmes dans les rues, n'a pas été balayé avec ces immondices du jour. Il est resté et il restera comme une Satyre Menippée trempée de sang. C'est le refrain populaire qui menait le peuple aux plus grands mouvements, et qui s'éteignait souvent dans le sifflement de la corde de la lanterne ou dans le coup de hache de la guillotine. Camille Desmoulins était l'enfant cruel de la Révolution. Marat en était la rage; il avait les soubresauts de la brute dans la pensée, et les grincements dans le style. Son journal, l'Ami du peuple, suait le sang à chaque ligne.»

XVI

L'accusation d'avoir présenté le parti tour à tour ambitieux et faible des Girondins pour un parti idéal de la Révolution n'est pas moins erronée. Voyez leur entrée en scène, en 1791, après la proclamation de la constitution:

«L'Assemblée était pressée de ressaisir la passion publique, qu'un attendrissement passager lui enlevait. Elle rougissait déjà de sa modération d'un jour, et cherchait à semer de nouveaux ombrages entre le trône et la nation. Un parti nombreux dans son sein voulait pousser les choses à leurs conséquences et tendre la situation jusqu'à ce qu'elle se rompît. Ce parti avait besoin pour cela d'agitation; le calme ne convenait pas à ses desseins. Il avait des ambitions audessus de ses talents, ardentes comme sa jeunesse, impatientes comme sa soif de situation.

«L'Assemblée constituante, composée d'hommes mûrs, assis dans l'État, classés dans la hiérarchie sociale, n'avait eu que l'ambition des idées de la liberté et de la gloire; l'Assemblée nouvelle avait celle du bruit, de la fortune et du pouvoir. Formée d'hommes obscurs, pauvres et inconnus, elle aspirait à conquérir tout ce qui lui manquait.

«Ce dernier parti, dont Brissot était le publiciste, Pétion la popularité, Vergniaud le génie, les Girondins le corps, entrait en scène avec l'audace et l'unité d'une conjuration. C'était une bourgeoisie triomphante, envieuse, remuante, éloquente, l'aristocratie du talent, voulant conquérir et exploiter à elle seule la liberté, le pouvoir et le peuple. L'Assemblée se composait par portions inégales de trois éléments: les constitutionnels, parti de la liberté et de la monarchie modérée; les Girondins, parti du mouvement continué jusqu'à ce que la Révolution tombât dans leurs mains; les Jacobins, parti du peuple et d'une impitoyable utopie. Le premier, transaction et transition; le second, audace et intrigue; le troisième, fanatisme et dévouement. De ces deux derniers partis, le plus hostile au roi n'était pas le parti jacobin. L'aristocratie et le clergé détruits, ce parti ne répugnait pas au trône; il avait à un haut degré l'instinct de l'unité du pouvoir. Ce n'est pas lui qui demanda le premier la guerre et qui prononça le premier le mot de république; mais il prononça le premier et souvent le mot dictature; le mot république appartient à Brissot et aux Girondins. Si les Girondins, à leur avènement à l'Assemblée, s'étaient joints au parti constitutionnel pour sauver la constitution en la modérant, et la Révolution en ne la poussant pas à la guerre, ils auraient sauvé leur parti et maintenu le trône. L'honnêteté, qui manquait à leur chef, manqua à leur conduite: l'intrigue les entraîna. Ils se firent les agitateurs d'une assemblée dont ils pouvaient être les hommes d'État. Ils n'avaient pas la foi à la république, ils en simulèrent la conviction. En révolution, les rôles sincères sont les seuls rôles habiles. Il est beau de mourir victime de sa foi, il est triste de mourir dupe de son ambition.»

Estce là un apologiste ou un juge? Parleraisje aujourd'hui plus sévèrement?

XVII

En ce qui concerne à cette date la constitution civile du clergé, sorte de concordat populaire, aussi illogique et aussi oppressif qu'un concordat royal, je n'ai rien à rétracter de mon jugement; ce fut une des grandes fautes de la Révolution; en matière de conscience, son salut et son devoir étaient dans un peuple libre et dans une Église libre, se mouvant librement et respectueusement dans deux sphères indépendantes, la sphère civique et la sphère religieuse. Bien que je ne me dissimule rien des difficultés de cette séparation des deux autorités, elle triomphera un jour; la religion en sera plus pure et plus efficace, plus morale, la conscience plus fière d'ellemême, l'État plus irresponsable des fureurs ou des persécutions des pouvoirs humains.

Le portrait de Vergniaud se dessine dans la question de l'émigration. Le droit de tout faire, excepté ce qui attente à la patrie, est son principe; il est aussi celui du bon sens. Seulement la confiscation des biens de l'émigré, droit qui punit les enfants et la famille de la faute d'un père, dont ils sont innocents et pour lequel ils sont frappés dans leur existence, est un faux principe en équité comme en politique.

XVIII

«Vergniaud, né à Limoges et avocat à Bordeaux, n'avait alors que trentetrois ans. Le mouvement l'avait saisi et emporté tout jeune. Ses traits majestueux et calmes annonçaient le sentiment de sa puissance. Aucune tension ne les contractait. La facilité, cette grâce du génie, assouplissait tout en lui, talent, caractère, attitude. Une certaine nonchalance annonçait qu'il s'oubliait aisément luimême, sûr de se retrouver avec toute sa force au moment où il aurait besoin de se recueillir. Son front était serein, son regard assuré, sa bouche grave et un peu triste; les pensées sévères de l'antiquité se fondaient dans sa physionomie avec les sourires et l'insouciance de la première jeunesse. On l'aimait familièrement au pied de la tribune. On s'étonnait de l'admirer et de le respecter dès qu'il y montait. Son premier regard, son premier mot mettait une distance entre l'homme et l'orateur. C'était un instrument d'enthousiasme qui ne prenait sa valeur et sa place que dans l'inspiration. Cette inspiration, servie par une voix grave et par une élocution intarissable, s'était nourrie des plus purs souvenirs de la tribune antique. Sa phrase avait les images et l'harmonie des plus beaux vers. S'il n'avait pas été l'orateur d'une démocratie, il en eût été le philosophe et le poëte. Son génie tout populaire lui défendait de descendre au langage du peuple, même en le flattant. Il n'avait que des passions nobles comme son langage. Il adorait la Révolution comme une philosophie sublime qui devait ennoblir la nation tout entière sans faire d'autres victimes que les préjugés et les tyrannies. Il avait des doctrines et point de haines, des soifs de gloire et point d'ambitions. Le pouvoir même lui semblait quelque chose de trop réel, de trop vulgaire pour y prétendre. Il le dédaignait pour luimême, et ne le briguait que pour ses idées. La gloire et la postérité étaient les deux seuls buts de sa pensée. Il ne montait à la tribune que pour les voir de plus haut; plus tard il ne vit qu'elles du haut de l'échafaud, et il s'élança dans l'avenir, jeune, beau, immortel dans la mémoire de la France, avec tout son enthousiasme et quelques taches déjà lavées dans son généreux sang. Tel était l'homme que la nature avait donné aux Girondins pour chef. Il ne daigna pas l'être, bien qu'il eût l'âme et les vues d'un homme d'État; trop insouciant pour un chef de parti, trop grand pour être le second de personne. Il fut Vergniaud. Plus glorieux qu'utile à ses amis, il ne voulut pas les conduire; il les immortalisa.»

XIX

En relisant aujourd'hui le jugement que je portais alors sur l'Assemblée constituante à sa dernière séance, j'y trouve plusieurs éloges plus lyriques que justes, et que je ne ratifierais pas de sangfroid aujourd'hui. Voici le texte, voici les corrections:

«L'Assemblée constituante avait abdiqué dans une tempête.

«Cette Assemblée avait été la plus imposante réunion d'hommes qui eût jamais représenté non pas la France, mais le genre humain. Ce fut en effet le concile œcuménique de la raison et de la philosophie modernes. La nature semblait avoir créé exprès, et les différents ordres de la société avoir mis en réserve pour cette œuvre, les génies, les caractères et même les vices les plus propres à donner à ce foyer des lumières du temps la grandeur, l'éclat et le mouvement d'un incendie destiné à consumer les débris d'une vieille société, et à en éclairer une nouvelle. Il y avait des sages comme Bailly et Mounier, des penseurs comme Sieyès, des factieux comme Barnave, des hommes d'État comme Talleyrand, des hommes époques comme Mirabeau, des hommes principes comme Robespierre. Chaque cause y était personnifiée par ce qu'un parti avait de plus haut ou de plus tranché. Les victimes aussi y étaient illustres. Cazalès, Malouet, Maury, faisaient retentir en éclats de douleur et d'éloquence les chutes successives du trône, de l'aristocratie et du clergé. Ce foyer actif de la pensée d'un siècle fut nourri, pendant toute sa durée, par le vent des plus continuels orages politiques. Pendant qu'on délibérait dedans, le peuple agissait dehors et frappait aux portes. Ces vingtsix mois de conseils ne furent qu'une sédition non interrompue. À peine une institution s'étaitelle écroulée à la tribune, que la nation la déblayait pour faire place à l'institution nouvelle. La colère du peuple n'était que son impatience des obstacles, son délire n'était que sa raison passionnée. Jusque dans ses fureurs, c'était toujours une vérité qui l'agitait. Les tribuns ne l'aveuglaient qu'en l'éblouissant. Ce fut le caractère unique de cette Assemblée, que cette passion pour un idéal qu'elle se sentait invinciblement poussée à accomplir. Acte de foi perpétuel dans la raison et dans la justice; sainte fureur du bien qui la possédait et qui la faisait se dévouer ellemême à son œuvre, comme ce statuaire qui, voyant le feu du fourneau où il fondait son bronze prêt à s'éteindre, jeta ses meubles, le lit de ses enfants, et enfin jusqu'à sa maison dans le foyer, consentant à périr pour que son œuvre ne pérît pas.

«C'est pour cela que la révolution qu'a faite l'Assemblée constituante est devenue une date de l'esprit humain, et non pas seulement un événement de l'histoire d'un peuple. Les hommes de cette Assemblée n'étaient pas des Français, c'étaient des hommes universels. On les méconnaît et on les rapetisse quand on n'y voit que des prêtres, des aristocrates, des plébéiens, des sujets fidèles, des factieux ou des démagogues. Ils étaient et ils se sentaient euxmêmes mieux que cela: des ouvriers de Dieu, appelés par lui à restaurer la raison sociale de l'humanité, et à rasseoir le droit et la justice par tout l'univers. Aucun d'eux, excepté les opposants à la révolution, ne renfermait sa pensée dans les limites de la France. La déclaration des droits de l'homme le prouve. C'était le décalogue du genre humain dans toutes les langues. La Révolution moderne appelait les Gentils comme les Juifs au partage de la lumière et au règne de la fraternité.

XX

«Aussi n'y eutil pas un de ses apôtres qui ne proclamât la paix entre les peuples. Mirabeau, La Fayette, Robespierre luimême, effacèrent la guerre du symbole qu'ils présentaient à la nation. Ce furent les factieux et les ambitieux qui la demandèrent plus tard; ce ne furent pas les grands révolutionnaires. Quand la guerre éclata, la Révolution avait dégénéré. L'Assemblée constituante se serait bien gardée de placer aux frontières de la France les bornes de ses vérités et de renfermer l'âme sympathique de la Révolution française dans un étroit patriotisme. La patrie de ses dogmes était le globe. La France n'était que l'atelier où elle travaillait pour tous les peuples. Respectueuse et indifférente à la question des territoires nationaux, dès son premier mot elle s'interdit les conquêtes. Elle ne se réservait que la propriété, ou plutôt l'invention des vérités générales qu'elle mettait en lumière. Universelle comme l'humanité, elle n'eut pas l'égoïsme de s'isoler. Elle voulut donner et non dérober. Elle voulut se répandre par le droit et non par la force. Essentiellement spiritualiste, elle n'affecta d'autre empire pour la France que l'empire volontaire de l'imitation sur l'esprit humain.

«Son œuvre était prodigieuse, ses moyens nuls; tout ce que l'enthousiasme lui inspire, l'Assemblée l'entreprend et l'achève, sans roi, sans chef militaire, sans dictateur, sans armée, sans autre force que la conviction. Seule au milieu d'un peuple étonné, d'une armée dissoute, d'une aristocratie émigrée, d'un clergé dépouillé, d'une cour hostile, d'une ville séditieuse, de l'Europe en armes, elle fit ce qu'elle avait résolu: tant la volonté est la véritable puissance d'un peuple, tant la vérité est l'irrésistible auxiliaire des hommes qui s'agitent pour elle! Si jamais l'inspiration fut visible dans le prophète ou dans le législateur antique, on peut dire que l'Assemblée constituante eut deux années d'inspiration continue. La France fut l'inspirée de la civilisation.»

Je dis aujourd'hui:

Cet hymne dépasse en admiration la portée de l'Assemblée constituante. Le mot d'homme principe, qui s'applique à Robespierre, est un scandale de mot qui peut faire douter de mes principes à moimême. Estce que le fanatisme est une lumière? estce que le sophisme est une vérité? estce que le sang est un apostolat? Il est vrai qu'à ce moment Robespierre n'en avait pas encore versé, et qu'il avait plaidé au contraire contre la peine de mort. C'est ce qui m'excuse de l'avoir qualifié ainsi à ce moment de la Révolution où il était encore éloquent. Mais, comme la vie tout entière d'un homme le résume à toutes les dates de sa vie dans la qualification qu'un historien lui donne, ma plume a été étourdie, sinon coupable, en donnant alors à Robespierre une qualification à double interprétation, capable de fausser l'esprit de la jeunesse sur ce Marius civil, sur ce proscripteurbourreau de la Révolution. Je m'en repens, et je l'efface.

XXI

De la situation dégradée du roi au moment où la constitution de 1791 était proclamée, où sa puissance n'existait plus, et où sa responsabilité pesait tous les jours sur sa tête, j'en conclus qu'il eût mieux valu alors pour le roi dégradé et pour la nation exigeante proclamer une république ou une dictature de la nation qui aurait laissé le roi à l'écart et en réserve pendant les essais d'application des principes populaires nouveaux. Je le crois encore, Louis XVI eut tort d'accepter une couronne qui n'était plus qu'une hache suspendue sur sa tête par les factions prêtes à se servir de lui, à le déshonorer, puis le frapper. La nation eut tort de ne pas retirer à elle le pouvoir tout entier, puisqu'elle en rejetait la responsabilité sur un fantôme de roi... Le roi et sa famille n'auraient pas péri, la nation n'aurait eu à accuser qu'ellemême de ses convulsions, la république constitutionnelle se serait établie sans 10 août, sans massacres de septembre, sans 21 janvier, sans terreur; ou bien la France, convaincue de l'impuissance de la république, aurait rappelé à un trône conservé intact Louis XVI et sa malheureuse famille, à la charge de maintenir les lois civiles sagement réformées en 1789.

Ce que j'ai dit là dans le septième livre des Girondins, je le redis à vingt ans de distance, après deux restaurations, une monarchie schismatique de 1830, une république de salut commun, qui n'a ni versé une goutte de sang, ni proscrit, ni spolié personne, et après une restauration dynastique d'une monarchie napoléonienne qu'il ne m'appartient ni de caractériser ici, ni de louer, ni d'accuser de mon point de vue d'historien, puisque mon point de vue est celui de la seconde république. Mais je dirai toujours qu'une franche république sans proscripteurs et sans proscrits vaut mieux pour un peuple en révolution qu'une fausse monarchie enchaînée et assassinée par les factions de 1791.

Lisez ici l'explication de ma pensée historique. Elle est hardie, mais je la crois plus vraie en 1791 que la timide circonspection des Girondins.

«S'il y eût eu dans l'Assemblée constituante plus d'hommes d'État que de philosophes, elle aurait senti qu'un état intermédiaire était impossible sous la tutelle d'un roi à demi détrôné. On ne remet pas aux vaincus la garde et l'administration des conquêtes. Agir comme elle agit, c'était pousser fatalement le roi ou à la trahison ou à l'échafaud. Un parti absolu est le seul parti sûr dans les grandes crises. Le génie est de savoir prendre ces partis extrêmes à leur minute. Disonsle hardiment, l'histoire à distance le dira un jour comme nous: il vint un moment où l'Assemblée constituante avait le droit de choisir entre la monarchie et la république, et où elle devait choisir la république. Là étaient le salut de la Révolution et sa légitimité. En manquant de résolution elle manqua de prudence.

«Mais, diton avec Barnave, la France est monarchique par sa géographie comme par son caractère, et le débat s'élève à l'instant dans les esprits entre la monarchie et la république. Entendonsnous:

«La géographie n'est d'aucun parti: Rome et Carthage n'avaient point de frontières, Gênes et Venise n'avaient point de territoires. Ce n'est pas le sol qui détermine la nature des constitutions des peuples, c'est le temps. L'objection géographique de Barnave est tombée un an après, devant les prodiges de la France en 1792. Elle a montré si une république manquait d'unité et de centralisation pour défendre une nationalité continentale. Les flots et les montagnes sont les frontières des faibles; les hommes sont les frontières des peuples.

XXII

«Laissons donc la géographie! Ce ne sont pas les géomètres qui écrivent les constitutions sociales, ce sont les hommes d'État.

«Or les nations ont deux grands instincts qui leur révèlent la forme qu'elles ont à prendre, selon l'heure de la vie nationale à laquelle elles sont parvenues: l'instinct de leur conservation et l'instinct de leur croissance. Agir ou se reposer, marcher ou s'asseoir, sont deux actes entièrement différents, qui nécessitent chez l'homme des attitudes entièrement diverses. Il en est de même pour les nations. La monarchie ou la république correspondent exactement chez un peuple aux nécessités de ces deux états opposés: le repos ou l'action. Nous entendons ici ces deux mots de repos et d'action dans leur acception la plus absolue; car il y a aussi repos dans les républiques et action sous les monarchies.

«S'agitil de se conserver, de se reproduire, de se développer dans cette espèce de végétation lente et insensible que les peuples ont comme les grands végétaux; s'agitil de se maintenir en harmonie avec le milieu européen, de garder ses lois et ses mœurs, de préserver ses traditions, de perpétuer les opinions et les cultes, de garantir les propriétés et le bienêtre, de prévenir les troubles, les agitations, les factions: la monarchie est évidemment plus propre à cette fonction qu'aucun autre état de société. Elle protége en bas la sécurité qu'elle veut pour ellemême en haut. Elle est l'ordre par égoïsme et par essence. L'ordre est sa vie, la tradition est son dogme, la nation est son héritage, la religion est son alliée, les aristocraties sont ses barrières contre les invasions du peuple. Il faut qu'elle conserve tout cela ou qu'elle périsse. C'est le gouvernement de la prudence, parce que c'est celui de la plus grande responsabilité. Un empire est l'enjeu du monarque. Le trône est partout un gage d'immobilité. Quand on est placé si haut, on craint tout ébranlement, car on n'a qu'à perdre ou qu'à tomber.

«Quand une nation a donc sa place sur un territoire suffisant, ses lois consenties, ses intérêts fixés, ses croyances consacrées, son culte en vigueur, ses classes sociales graduées, son administration organisée, elle est monarchique, en dépit des mers, des fleuves, des montagnes. Elle abdique, et elle charge la monarchie de prévoir, de vouloir et d'agir pour elle. C'est le plus parfait des gouvernements pour cette fonction. Il s'appelle des deux noms de la société ellemême: unité et hérédité.

XXIII

«Un peuple, au contraire, estil à une de ces époques où il faut agir dans toute l'intensité de ses forces pour opérer en lui ou en dehors de lui une de ces transformations organiques qui sont aussi nécessaires aux peuples que le courant est nécessaire aux fleuves, ou que l'explosion est nécessaire aux forces comprimées, la république est la forme obligée et fatale d'une nation à un pareil moment. À une action soudaine, irrésistible, convulsive du corps social, il faut les bras et la volonté de tous. Le peuple devient foule, et se porte sans ordre au danger. Lui seul peut suffire à la crise. Quel autre bras que celui du peuple tout entier pourrait remuer ce qu'il a à remuer? déplacer ce qu'il veut détruire? installer ce qu'il veut fonder? La monarchie y briserait mille fois son sceptre. Il faut un levier capable de soulever trente millions de volontés. Ce levier, la nation seule le possède. Elle est ellemême la force motrice, le point d'appui et le levier.

«Demander à un roi de détruire l'empire d'une religion qui le sacre, de dépouiller de ses richesses un clergé qui les possède au même titre divin auquel luimême possède le royaume, d'abaisser une aristocratie qui est le degré élevé de son trône, de bouleverser des hiérarchies sociales dont il est le couronnement, de saper des lois dont il est la plus haute, ce serait demander aux voûtes d'un édifice d'en saper le fondement. Le roi ne le pourrait ni ne le voudrait. En renversant ainsi tout ce qui lui sert d'appui, il sent qu'il porterait sur le vide. Il jouerait son trône et sa dynastie. Il est responsable par sa race. Il est prudent par nature et temporisateur par nécessité. Il faut qu'il complaise, qu'il ménage, qu'il patiente, qu'il transige avec tous les intérêts constitués. Il est le roi du culte, de l'aristocratie, des lois, des mœurs, des abus et des erreurs de l'empire. Les vices mêmes de la constitution font souvent partie de sa force. Les menacer, c'est se perdre. Il peut les haïr, il ne peut les attaquer.

«À de semblables crises la république seule peut suffire. Les nations le sentent et s'y précipitent comme au salut. La volonté publique devient le gouvernement. Elle écarte les timides, elle cherche les audacieux; elle appelle tout le monde à l'œuvre, elle essaye, elle emploie, elle rejette toutes les forces, tous les dévouements, tous les héroïsmes. C'est la foule au gouvernail.»

Lamartine.

FIN DU TOME DOUZIÈME

Milton Keynes UK
Ingram Content Group UK Ltd.
UKHW032306020823
426203UK00011B/460

9 791041 831043